FEBRERO DE 1913

PRIMERA PARTE

MARTÍN LUIS GUZMÁN

FEBRERO DE 1913

EMPRESAS EDITORIALES, S. A.

MEXICO

PRIMERA EDICIÓN

Noviembre de 1963

I

HENRY LANE WILSON

Creía Henry Lane Wilson, embajador de los Estados Unidos en México, que la primera obligación de la República Mexicana era mantenerse quieta y en orden, pues así convenía a los intereses de los extranjeros, "que habían venido acá con su capital y su trabajo y habían dado al país el poco progreso de que en él se disfrutaba y todo el prestigio que tenía en el mundo". De allí que Wilson no imaginara para México mejor gobierno que el de Porfirio Díaz, cuya sabiduría política no se cansaba de alabar, ni gobierno peor que el de Madero, a quien aborrecía y despreciaba.

Wilson era un devoto del imperialismo de su país. Conceptuaba espléndidas cual ningunas las presidencias de Jackson, de Cleveland, de McKinley, de Teodoro Roosevelt, durante las cuales, en todo el mundo, "el ciudadano de los Estados Unidos anduvo siempre erguido, con la cabeza hacia las estrellas, y seguro en su fe de que, siendo justa su causa, por encima de él velaba el potente brazo de su gobierno".

"Cuando los griegos —decía— extendieron su comercio y su civilización por las bellas orillas del Mediterráneo, la falange griega, la galera griega se alzó como el centinela que lo guardaba. El comercio de los romanos y su civilización se extendieron a la zaga, no a la vanguardia, de las legiones del Imperio. La inquieta mano del comercio inglés ha llegado a todos los mares y continentes, pero el redoble de los tambores de Inglaterra circunscribe el mundo, y dondequiera que un súbdito inglés vive, trabaja y ora —grande o pequeño, rico o pobre— sobre él está, atenta y solícita, la mirada del gobierno británico. Así los Estados Unidos. Juntas las manos del capital y el trabajo de Norteamérica, entrambos inventan, modelan, ofrecen por los mercados del mundo los frutos de sus martillos, de sus fraguas, de sus telares y de otros mil complicados mecanismos inventados por la destreza del hombre. A ensanchar y estimular esos mercados van los agentes de los Estados Unidos. De ellos surgen agencias. De esas agencias surgen colonias, centros del comercio, de la cultura, de la expansión norteamericana, todas ellas devotas de las tradiciones de los Estados Unidos y de su bandera. Allí florecen el agricultor, el ingeniero, el maestro, el predicador, el periodista, el abogado y todos los otros elementos que dan vida a las comunidades de Norteamérica,

más norteamericanos entonces que en su propio
país, vanguardia de nuestra civilización, hombres
que enseñan al mundo a conservar indemne la
democracia. Si esas colonias se levantan en países
donde es suprema la ley, inmaculada la justicia,
su funcionamiento es normal y sosegado, inadver-
tido para los ojos del mundo. Pero si llevan el
aletear de la aventura mercantil a tierras donde
la ley es una burla, donde la justicia se vende al
mejor postor, entonces, llegada la hora del peligro
para su vida y sus propiedades, no cuentan ellas
con otro apoyo que el de su gobierno."

Además de imperialista, Henry Lane Wilson
era, respecto de Madero, un gran resentido. Al
ocupar la presidencia el caudillo de la Revolución
de 1910, Wilson se imaginó que podría aconsejar-
lo, dominarlo, convertirlo en instrumento de una
política favorable a sus miras personales y diplomáticas. Pronto descubrió que no sería así. Detrás
de aquel hombrecito, tan bondadoso, tan ingenuo,
tan versátil en apariencia, había puntos de voluntad irreductibles; había, contra cuanto pudiera
creerse, un gobierno de sentido nacional, y había
también, y sobre todo, un pueblo —pueblo a la
vez informe y unánime, apático y apasionado, in-
hábil y resuelto, cuyas aspiraciones vagas, formu-
ladas apenas, aquel hombrecito encarnaba y sentía.

Defraudado en sus esperanzas de llegar a ser bajo Madero una especie de procónsul de los Estados Unidos en México, Wilson buscó por caminos más modestos lo que la grandeza no quería darle, y fracasó también. Un día, terminada la sesión del Consejo, Madero comunicó a sus ministros una noticia relativa al embajador. Les dijo que durante una visita que había hecho a su esposa la de Wilson, ésta acababa de solicitar que el gobierno de México auxiliara al embajador con algún negocio, algo que le produjera unos cincuenta mil pesos anuales, pues el sueldo de representante de la Casa Blanca no bastaba para mantener la dignidad de tan alto rango. El presidente no se mostraba dispuesto a consentir en lo que Wilson pedía, pero como algún ministro opinase que acaso conviniera concederlo, pues, según sus noticias, en años anteriores ya se había dado a Wilson lo que pedía ahora, Manuel Bonilla y otros opinaron lo mismo que el presidente, y éste se mantuvo en la decisión ya tomada.

Aquella negativa de Madero fue la peor afrenta que Wilson podía recibir. Porque hay solicitudes —para nadie tan humillantes como para un embajador— que, escuchadas y atendidas, procuran a quien las hace cierto alivio en medio de su envilecimiento, pero que si son desairadas, no hacen sino dejar en carne viva el recuerdo envilecedor y el rencor que de ellas nace. ¿Previó Madero este resultado? ¿Debía haberlo previsto? Madero medía siempre, a impulsos de su carácter, la rectitud de los actos que ejecutaba, no la conveniencia de hacerlos o dejarlos de hacer. Por eso, siendo grande, incontrastable inspirador y encauzador de sentimientos y movimientos populares contra la injusticia, no supo ser nunca el estadista que convirtiera su visión nacional en una estructura política capaz de realizarse. La política, arte de gobernar y dirigir a los hombres salvándolos de sí mismos, exige un grado de perversidad que en Madero no existía ni podía existir. Madero sólo creía en la eficacia del bien.

Aclaraba a veces Wilson que su primitiva disposición hacia Madero se había inspirado en la más profunda simpatía. Pero no era esa la realidad. Sucedía tan sólo que, en el primer momento, Wilson casi tuvo la certeza de que Madero se plegaría a la política que él deseaba para México.

"Creo que Madero —informaba entonces a Knox, secretario de Estado— es un hombre patriota y honrado, que se enfrenta con hechos difíciles y se ve embarazado por el problema de reconciliar su propio credo, y el programa de la Revolución, con las condiciones existentes y las graves necesidades de la hora. A no dudarlo, a Madero le gus-

taría gobernar conforme a sus ideas altruistas;
pero a medida que pasan los días va advirtiendo
que esas ideas no son compartidas por ningún grupo considerable de sus partidarios y que lo más
del país entiende la libertad como libertinaje, se
ríe de los consejos paternales y sólo respeta la
mano de hierro capaz de domeñarlo. He conversa-
do largamente con él y advierto que está alejándose de sus propósitos de llegar a un arreglo con
jefes de bandidos y forajidos, y que se propone
someterlos dondequiera que se levanten contra el
gobierno. También van siendo otras sus ideas pre-
concebidas acerca de la libertad de imprenta, pues
recientemente me informó que tenía en estudio medidas para limitar y reprimir las críticas peligrosas
y las faltas de respeto capaces de producir tras-
tornos públicos y complicaciones internacionales.
Está, además, ansioso de que vengan más extranjeros al país, a quienes no sólo recibirá bien, sino
que protegerá en todo. Mucho me agrada también
el gabinete de Madero, que por sus simpatías parece inclinarse en favor de los norteamericanos y
quiere hacerles justicia en sus intereses."

Pero poco después vino el desacuerdo. Se vio
que el presidente revolucionario no abandonaba
sus propósitos reformadores, ni seguía las inspi-
raciones políticas del embajador, ni estaba dispuesto a colmarlo de favores, y entonces la decora-

ción cambió. No cumplía aún dos meses el primer informe de Wilson, cuando ya estaba éste diciendo a su gobierno, o insinuándole, cosas muy diferentes de las anteriores:

"Hierve en México el descontento, sobre todo entre las clases elevadas y cultas, que son, al fin y al cabo, las que han de mandar en este país, bien porque se opere un cambio en la actitud del gobierno, bien porque se produzca francamente una rebelión. Por ahora los males se soportan; pero con el transcurso del tiempo, y su acción cicatrizadora, un caudillo distinguido, como Félix Díaz, De la Barra, Limantour, podrá conseguir, ante cualquier cuestión política radical, que la rebelión prenda desde el Río Grande hasta la frontera de Guatemala. Los dos puntos que en este momento afectan más a la opinión pública —especialmente a la opinión extranjera financiera y comercial— son, primero, la incapacidad del gobierno para poner las leyes en vigor e impedir que el libertinaje y la ilegalidad se propaguen, y segundo, las peligrosas tendencias gubernamentales hacia medidas económicas impracticables y absurdas. La propagación del libertinaje y la ilegalidad provienen, en parte, de la Revolución, y en parte de los discursos y declaraciones de Madero. Las medidas económicas que el gobierno piensa implantar se encaminan, según dicen, a cumplir compromisos revolucionarios; las más trascienden a socialismo de Estado y son del todo inadecuadas a este pueblo, que en materia de gobierno no comprende, por su misma tradición, por su incultura, por su educación defectuosa, nada que sea ajeno a la idea de la fuerza o a la existencia de un poder central."

Hubo algo que llevó al colmo el enojo de Henry Lane Wilson. En diciembre de 1912, a consecuencia de la incomprensión e irritabilidad de que había él dado pruebas en los últimos meses, Madero mandó a Wáshington a su ministro de Relaciones Exteriores, Pedro Lascuráin, para que personalmente hablara con Knox. Luego le telegrafió que viese a Woodrow Wilson, electo ya para suceder en la presidencia a Taft, y le pidiera la separación del embajador. "Si es necesario —añadía Madero— diga usted que desde hace tiempo el gobierno de México informó al de Wáshington que Henry Lane Wilson no es persona grata y que si no hemos obrado en ese sentido, ello se debe a nuestro deseo de que el nuevo presidente lo retire sin que medien exigencias de nuestra parte."

El 1º de enero de 1913 se celebraron en el Palacio Nacional las ceremonias de felicitación al Presidente de la República. Al tocarle su turno al Ejército, el general Manuel Plata, a cuyo lado estaban los generales Victoriano Huerta y Lauro Villar, dijo así a Madero, dirigiéndose a él en nombre de todos los generales, jefes y oficiales presentes:

"El ejército mexicano, que no tiene otros fines que la salvaguarda de las instituciones, la conservación del orden social y el bienestar de la patria, se honra en felicitar al Presidente de la República y en formular los más sinceros votos por su felicidad."

Madero contestó:

"El ejército mexicano, eficaz sostén de nuestras instituciones y factor decisivo en el mantenimiento de la paz y el orden, engrandecerá al pueblo de México, y se engrandecerá a sí mismo, cuando pueblo y ejército se unan en las filas. Unidos así para sostener al gobierno, el pueblo, generoso defensor de la justicia, y el ejército ejemplar, el advenimiento de la paz será un hecho próximo y el servicio obligatorio encauzará el civismo de nuestros ciudadanos."

En la ceremonia del cuerpo diplomático dijo el ministro de España, don Bernardo J. de Cólogan:

"Señor presidente, no acude hoy al Palacio Nacional el cuerpo diplomático para llenar la fórmula de un rito. Bajo el manto de estas solemnes exterioridades existen sentimientos inconformes con las subdivisiones geográficas y con los exclusivismos del afecto, individual o colectivo. La solidaridad creciente entre los hombres, y la malla de los intereses económicos, dificultan cada vez más las luchas entre las naciones y tienden a mitigar en los pueblos la propensión a la turbulencia, que sólo sería inobjetable en un régimen de absoluto aislamiento, lo cual no quiere decir que se desconozca la posibilidad de problemas y conflictos cuya solución concierna exclusivamente al pueblo que los padece. Este concepto, a la vez humanitario y distante de lo que pudiera tildarse de injerencia en la vida interna de cada país, atiende al bien propio, pero quiere también el ajeno, según aquí bastan a probarlo las espontáneas simpatías que sienten por la suerte de México las colonias extranjeras y el modo como colaboran con la sociedad mexicana cumpliendo la ley santa del trabajo. Por eso ningún pensamiento podría ser ahora más adecuado entre nosotros los miembros del cuerpo diplomático, que el desear con ardor que este año que hoy empieza vea afirmarse la alborada de tiempos más tranquilos, y que en él cese toda lucha armada y se arraigue cada vez más la orientación hacia los procedimientos legales, gracias al libre funcionamiento de las fuerzas sociales y políticas. Así podrá el gobierno, dignamente presidido por Vuestra Excelencia, dedicarse a fomentar, en sana concordia, el progreso cultural, ya tan acentuadamente iniciado, y procurar el desarrollo de las fuentes vivas de riqueza que atesora el suelo mexicano."

Madero contestó:

"Tiene mucha razón el señor ministro de España al afirmar que cada vez es mayor la solidaridad entre los pueblos y que cada vez afectan más a unos los acontecimientos ocurridos en los otros. La crisis que ha atravesado la República Mexicana durante estos últimos años ha sido una crisis necesaria, puesto que cuando un pueblo ansía conquistar su libertad, ningún sacrificio es demasiado grande para ello. Pero en una crisis como ésta los acontecimientos deben apreciarse desde un punto de vista alto y elevado; cuando un pueblo pasa por una convulsión así, no deben tenerse en cuenta los sacrificios realizados, sino las ventajas y los triunfos que se han de obtener. Nosotros lamentamos profundamente que algunos de nuestros huéspedes hayan sido víctimas de las inevitables consecuencias de la revolución. Lamentamos que en algunos puntos sus intereses hayan sufrido. Pero es indudable que a los extranjeros que residen en el país toca también, lo mismo que a los mexicanos, contribuir con su contingente de sacrificio para el bien común. Estoy seguro de que los perjuicios que han recibido algunas empresas extranjeras están ampliamente indemnizados con los beneficios que reciben. Pese a las vicisitudes sufridas por algunas de esas empresas, es seguro que el resultado general de sus operaciones es muy satisfactorio, y su rendimiento total, o sea, las utilidades que obtienen en conjunto los capitales extranjeros invertidos en México, han de ser por fuerza, no obstante los últimos contratiempos, muy superiores a las que obtendrían en sus respectivos países. Viendo las cosas así, no cabe dudar que todas las naciones amigas de México se alegrarán del enorme paso que hemos dado, pues pueden abrigar la seguridad de que una vez pasada esta crisis, la paz se restablecerá en absoluto, teniendo por base la ley y el derecho, y como bien saben los señores representantes de las naciones extranjeras, paz que se funda en el derecho y la justicia es paz firme y duradera. Que esto ocurra, lo deseamos ardientemente, y tengo fe en que al realizarse ese acontecimiento, todos los extranjeros residentes en México se benificiarán."

Henry Lane Wilson no asistió a la ceremonia de Palacio; se hallaba de vacaciones en los Estados Unidos. Pero volvió a su puesto el día 5 de aquel mes y en seguida se puso a mandar a Knox tales pinturas del régimen maderista, que no las hubiera hecho con tintas peores el más encarnizado enemigo político de Madero.

II
BERNARDO REYES

Al triunfar la Revolución de 1910 había vuelto a México el general Bernardo Reyes. Se mostraba —así al menos quería hacerse aparecer— comprensivo y desinteresado. Llegó diciendo a Madero que no venía a disputarle la Presidencia de la República, pues consideraba peligroso meter al país en una lucha electoral cuando no estaba aún totalmente pacificado, y reconocía que la opinión señalaba para aquel puesto a quien había vencido en defensa de los principios democráticos. Él no quería sino completar con su experiencia la popularidad y la buena fe de Madero, a quien juzgaba joven e inexperto, y de allí que se limitara —cosa que recalcaba y repetía— a ofrecer sus servicios en apoyo del gobierno provisional de don Francisco León de la Barra.

Madero, generoso ante todo —e inclinado a una política conciliadora, capaz de evitar a México hondas perturbaciones— acogió a Reyes en forma benévola, casi con cariño, y le tomó en cuenta sus plausibles propósitos ofreciéndole nombrarlo Ministro de la Guerra tan pronto como él llegara a la Presidencia de la República. Más aún: a Rodolfo Reyes, hijo de don Bernardo, se le invitó desde luego a que ocupara la subsecretaría de Justicia, pero él no aceptó, temeroso de que eso pudiera estorbar las aspiraciones políticas de su padre.

Después de su entrevista con Madero —era a mediados de junio de 1911—, don Bernando publicó un manifiesto en que renunciaba a su candidatura y se adhería al nuevo orden de cosas; pero dócil a quienes le hablaban al oído, y con el pretexto de que los amigos de Madero, lejos de entender y agradecer la actitud del ex candidato, lo rechazaban y atacaban, varió de opinión un mes después, no obstante la incontenible ola del entusiasmo maderista que dondequiera lo envolvía.

Así las cosas, el 16 de julio Madero escribió a don Bernardo una carta en que lo relevaba de todo compromiso, o más exactamente, en la que declaraba no haber habido entre los dos ningún compromiso que obligara al general Reyes a lanzar o no lanzar su candidatura, "lo que habría sido un pacto indigno de ellos", y de allí resultó que a principios de agosto ya estuviera Reyes en plena campaña electoral, después de otra entrevista con Madero. En ésta confirmó sus intenciones de llevarlo todo por los caminos democráticos y dio su palabra de honor de que en ningún caso recurriría al uso de las armas, "promesa que garantizaban sus antecedentes militares".

Se alarmaban los maderistas por la conducta de Reyes y por la benevolencia con que Madero lo trataba. Pero les contestaba él que no tenían razón.

"Reyes —les decía— cuenta con dos caminos para oponerse a la nueva situación revolucionaria: el democrático y el del cuartelazo. Si, a pesar de todo, su candidatura prospera y logra atraer la mayoría de los votos, yo no veré ninguna amenaza en él, pues el pueblo mexicano es dueño de darse los gobernantes que guste, y yo seré el primero en respetar la voluntad de la mayoría de mis conciudadanos, aparte de que nunca he pretendido que se me dé un puesto como recompensa de mis pocos servicios. En cuanto al camino del cuartelazo, lo creo muy difícil. ¿Con qué pretexto invitaría el general Reyes a los jefes militares para que lo secundaran en un movimiento de ese género? ¿Qué podría decirles después del manifiesto que ha publicado adhiriéndose al nuevo orden de cosas? Para lanzarse a una empresa tan injustificada, y de un modo tan felón, sería preciso que él y los jefes a quienes se dirigiera estuviesen desprovistos de todo patriotismo y de toda idea de la dignidad personal."

A principios de septiembre, confrontado Ber-

nardo Reyes con el evidente fracaso de sus empe-
ños electorales, empezaron a correr rumores de
asonadas y levantamientos. Madero no quería pres-
tarles oídos, pues cualquier propósito de esa
naturaleza le parecía impracticable e insensato. Estaba seguro de que un movimiento militar reaccio-
nario pondría nuevamente en pie a toda la nación,
y que eso podían verlo hasta los ciegos. Pero tanto
le ponderaron el peligro sus partidarios, que ac-
cedió a ver a De la Barra para quejarse de que
el gobierno no persiguiera la labor sediciosa de
Reyes y sus amigos, promotores de disturbios y
corruptores del ejército.

"Desde que llegó usted —le decía— al puesto
que ocupa no tanto por ministerio de la ley cuanto
porque en ello estuvo conforme el partido revolucionario, me manifestó en conversaciones priva-
das, y lo ha demostrado elocuentemente en sus
actos públicos, que aceptaba los principios de
nuestro partido y se adhería a él. Pues bien, estando perfectamente comprobado que Reyes conspira
y prepara un levantamiento, veo con profunda pena que no ha tomado usted ninguna clase de medidas para impedir esos preparativos bélicos y
salvar el depósito de nuestras libertades, puesto
por nosotros en sus manos."

El buen deseo de algunos políticos consiguió entonces que se formara una comisión mixta, de

representantes de Reyes y de Madero, la cual se reunió ante De la Barra y levantó un acta haciendo constar que por ningún motivo Madero ni Reyes se valdrían de sus partidarios para recurrir a un cuartelazo. De la Barra felicitó a los dos contrincantes por el patriotismo de que daban prueba, mas ello no impidió que dos semanas después Bernardo Reyes optara por abandonar la lucha democrática y saliera secretamente de México hacia Veracruz, donde se embarcó rumbo a los Estados Unidos. A sus partidarios les envió un telegrama, diciéndoles:

"Para evitar más desmanes y eludir confusiones de maderistas salgo por ahora de la República. El partido que encabezo debe permanecer en pie, para desarrollar su acción al obtener las garantías que hoy le faltan, en la inteligencia de que oportunamente vendré a ocupar mi puesto, siempre cubierto con la bandera de la ley."

Don Bernardo se ausentó de México a fines de septiembre. Un mes después, desde San Antonio Texas, lanzaba proclamas sediciosas y hacía llamamientos a la rebelión contra Madero, que ya era Presidente de la República. De allí a poco decidió volver al país. Cruzó el Bravo el 13 de diciembre, fecha en que ya cundía entre sus partidarios el propósito de desconocerlo. El día 14 se proclamó alzado en armas contra el gobierno de la Revolución, y unos cuantos días después, viendo que nadie acudía en su apoyo, y casi solo, se constituyó prisionero del destacamento rural de Linares, al cual se presentó, a la vez que telegrafiaba al general Jerónimo Treviño, Comandante Militar de la zona, la siguiente explicación de su conducta:

"Para efectuar la contrarrevolución llamé a los revolucionarios descontentos, al ejército y al pueblo, y al entrar al país, procedente de los Estados Unidos, ni un solo hombre ha acudido. Esta demostración patente del sentir general de la nación me obliga a inclinarme ante ese sentir, y, declarando la imposibilidad de hacer la guerra, he venido a esta ciudad la madrugada de hoy a ponerme a la disposición de usted para los efectos que correspondan, presentándome a la primera autoridad del municipio y al jefe de la fuerza. Verificado este acto, solicito, y no para mí, sino para los que en alguna forma se han comprometido por mi causa, una amplia amnistía, que, sin duda, de concederse, concurriría a serenar la República."

Don Bernardo fue trasladado a la ciudad de México, sometido a proceso e internado en la prisión militar de Santiago, adonde vino a unírsele su hijo Rodolfo, que se declaró en todo cómplice de su padre y anduvo pidiendo que también a él lo

encarcelaran y procesaran, lo que consiguió al fin.
Pero apenas se vieron juntos en la prisión, padre
e hijo resolvieron considerarse víctimas de Madero, a quien afeaban no osar fusilarlos, como se
podía esperar, por el delito de haberse levantado
en armas, ni decidirse a evitarles la tortura de
que los jueces los tuvieran presos para juzgarlos.
¿Cómo no comprendía Madero —clamaban— que
en vez de consentir la acción de los tribunales debía llamar al general Reyes; exigirle, bajo palabra
de honor, promesa de salir del país para no volver, y darle así ocasión de terminar su vida militar
y pública, todo lo cual se armonizaría con la grandeza moral de los vencedores?

A los seis meses de aquello, Rodolfo logró su
libertad gracias a la misma acción personal con
que antes había conseguido que lo metieran preso,
y pudo así dedicarse a conspirar con mayor eficacia. Él lo hacía ahora en la calle, mientras don
Bernardo seguía conspirando desde la prisión, olvidado ya de aquella "necesidad de ser implaca-
ble consigo mismo" que había sentido al entregarse en Linares, y de su decisión de "no concurrir
de ninguna manera a las desgracias de la patria,
aunque ello le demandara entregarse en holo-
causto".

¿Era un iluso el general Bernardo Reyes? ¿Era

sólo un ambicioso engañado por el falso concepto de su personalidad y su capacidad? No pueden negarse las grandes cualidades que tenía, pero tampoco el hecho de que obraba, una vez y otra, con una inconsistencia política, o una ceguera, de que apenas hay ejemplo. Siempre con el nombre de la patria en los labios, por patriotismo hacía las cosas más infecundas, extrañas o contradictorias. Por patriotismo no se había enfrentado con Porfirio Díaz cuando todo México se lo aconsejaba aclamándolo. Por patriotismo había vuelto al país cuando la ola del maderismo le indicaba no volver. Por patriotismo se había levantado en armas contra Madero precisamente cuando nadie estaba dispuesto a seguirlo. Por patriotismo se rindió cuando su rendición no era indispensable ni significaba nada. Y por patriotismo, tras de reconocer su error y proclamar que debía castigársele, se entregaba a conspirar de nuevo y más insensatamente que antes. Acaso pudiera decirse de él que se creía y se sentía un patriota, y que obraba siempre, leal en el propósito, a impulsos de esa convicción, pero que, en realidad, su patriotismo no era bastante para señalarle dónde estaba el verdadero bien de la patria.

Su ansia de echar por tierra al gobierno de Madero alcanzó en Santiago Tlaltelolco caracteres de obsesión: llegó a ser una especie de frenesí. "Quiero salir a pelear", repetía con frase constante y casi única. Creyéndose todavía dueño del prestigio, tan grande como inexplicable, de que había gozado en otros tiempos, y que entonces no había sabido usar, todo su empeño era salir de la prisión "para consumar su carrera de soldado pacificando al país". Quería que aceptaran sus planes militares y que se le encargara de consumarlos, y si buscaba aliados era sólo para eso. Se creía el llamado a "enderezar los derroteros de su pueblo, y a detener y encauzar muchedumbres desoladas y hambrientas, que descendían a buscar en el crimen reivindicaciones justas en su origen".

III
CONJURA INTERNACIONAL

En octubre de 1912, el general Félix Díaz, imbuido, por la sola circunstancia de ser sobrino del dictador derrocado, en la idea de que la patria lo requería para que la gobernase, se había apoderado de Veracruz por medio de una asonada militar que no tuvo eco en el ejército ni en el país y que fue vencida en menos de una semana.

Preso Félix Díaz, Madero dispuso que se le aplicara el máximo rigor de la ley, "pero respetando en todo los fueros de los tribunales", salvedad, esta última, que valió al prisionero el no ser fusilado. Rodolfo Reyes, que acudió solícito a defenderlo, junto con dos o tres abogados más, no halló difícil su tarea, y tuvo, por añadidura, la oportunidad y satisfacción de poner en contacto los elementos políticos y militares que conspiraban en México con los que habían conspirado, y seguían conspirando en Veracruz.

Contaba Félix Díaz con los generales Manuel Mondragón y Manuel Velázquez. Contaba Reyes con el general Gregorio Ruiz. Unida la acción de todos, siguió adelante, más o menos solapada, más o menos ostensible y cínica, la labor corruptora cerca del ejército, y se delinearon proyectos y planes.

De todo aquello eran alma Rodolfo Reyes y el general Mondragón, y, en grado menos importante, pero no menos activo, múltiple y tenaz, otros civiles, entre ellos, de primera fila, el doctor Samuel Espinosa de los Monteros y Miguel O. de Mendizábal. Hubo pláticas de inteligencia con el grupo de conspiradores que encabezaba Alberto García Granados. No se logró la unión con los hermanos Vázquez Gómez, que preferían seguir conspirando por su cuenta. Rehusó aliarse Emiliano Zapata, levantado en el Sur; pero se consiguió en Chihuahua la conjunción con el orozquismo, casi agónico.

Al principio se creyó en la posible fuga de don Bernardo y su marcha, al frente de tropas sublevadas, sobre Veracruz; se creyó en la simultánea evasión suya y de Félix Díaz para ir los dos a sumarse en el Norte con lo que quedaba de las fuerzas de Orozco, o a Toluca, para unirse a las tropas del general Velázquez, que se sublevarían al mismo tiempo que los conjurados de Veracruz y de México. Pero pronto se cayó en la cuenta de que cualquier plan resultaba descabellado y ponía en peligro la vida de uno u otro de los dos caudillos, si Félix Díaz no estaba también en la capital y si el movimiento no se hacía con el objeto inmediato de apoderarse de Madero y su gabinete y de quitarles desde luego todos los resortes del poder.

¿Podía conseguirse que Félix Díaz fuera trasladado de San Juan de Ulúa a una prisión de la ciudad de México? Sí se podía. El 14 de enero de 1913, el cónsul de los Estados Unidos en Veracruz, Mr. Canada, mandó a Henry Lane Wilson un telegrama en que le decía:

"Tengo informes, auténticos a mi juicio, según los cuales el gobierno de Madero proyecta en Veracruz un simulacro de movimiento armado, para matar en la prisión a Félix Díaz y sus compañeros y hacer creer que murieron accidentalmente, o que hubo razón para ejecutarlos. Ante el peligro de que el levantamiento se produzca de un momento a otro, mi ayuda ha sido solicitada para salvar el buen nombre del país. Si nuestro gobierno quiere apresurarse a tomar medidas capaces de impedir este hecho, desde luego puede evitarlo con sólo hacer que la embajada entere a Madero de que la trama ya no es un secreto. También podría el Departamento de Estado dar la noticia a la prensa, o conseguiría el mismo resultado saludable con la presencia de un crucero en este puerto."

Henry Lane Wilson apenas si quería otra cosa. Esperó impaciente las instrucciones de Knox, y

tan pronto como le llegaron se presentó al Ministro de Relaciones Exteriores para hacer saber al
gobierno mexicano lo que el gobierno de los Estados Unidos pensaba acerca de aquel posible suce-
so. No era ¡imposible! —empezó aclarando— que
el Departamento de Estado o la embajada acogie-
ran como ciertas las versiones que les llegaban,
ni menos que les bastara recibir determinados informes para formarse juicio sobre un propósito a
tal punto cobarde y criminal. Pero, de cualquier
modo —concluía— perjudicaba grandemente al
gobierno mexicano que hubiera personas dedicadas
a propalar semejantes rumores. Convenía, pues,
procurar de cualquier modo la captura y castigo
de los responsables, y el gobierno norteamericano
aconsejaba que eso se hiciera.

No se sabe lo que don Pedro Lascuráin haya
contestado a la gestión de Henry Lane Wilson, que
ocultamente se convertía en instrumento de los
conspiradores, y de modo ostensible, e injurioso
en el fondo, se entrometía en una cuestión ajena
a sus funciones. Pero el hecho es que al día siguiente de aquello el gobierno dispuso el traslado
de Félix Díaz, bien para protegerlo de los riesgos
que pudiera correr, o bien para evitar que se fu-
gase a la sombra de lo que se fraguaba. Y así, el
24 de enero el preso quedó alojado en una celda
de la Penitenciaría del Distrito Federal.

El primer paso en el camino de los conspiradores estaba dado. Sólo les faltaba acabar de urdir
sus planes y escoger el momento propio para la
acción. ¿Eran bastantes los recursos con que contaban? Se buscó atraer a Victoriano Huerta, des-
pechado porque no se le volvía al mando de la División del Norte; pero él, reservado o indeciso en
la apariencia, ni rehusaba francamente ni aceptaba
de plano, en espera, quizá, de que lo nombraran
jefe supremo de la rebelión. Más aún: a veces
daba a entender que, de no ser así, denunciaría
al gobierno lo que se tramaba.

IV

LA CONTRARREVOLUCIÓN

Dos hechos eran evidentes al principiar enero de 1913: el total desprestigio de Madero entre las clases conservadoras, que no habían dejado de atacarlo y befarlo con las peores armas desde que lo vieron en el poder, y el profundo descontento, el desmayo, la desesperación con que todos sus partidarios —hasta los más firmes— lo veían empeñarse en una política tolerante y conciliatoria.

Porque es la verdad que toda aquella atmósfera contraria al maderismo nacía no de actos revolucionarios del gobierno en los que el enemigo pudiera señalar como cosa palpable la insensatez de la Revolución, sino justamente de la ausencia de esos actos. Por sobra de fe en la persuasión y la bondad, Madero no había acometido la obra revolucionaria al otro día de su encumbramiento, y eso, transitoriamente, lo aniquilaba. Quienes lo habían llevado al triunfo, o habían deseado verlo triunfar, se revolvían ahora contra él o lo miraban con desvío y desencanto, aunque casi todos le permanecieran íntimamente fieles; y quienes lo ha-

bían combatido, o habían temido que triunfara, lo
despreciaban ahora, y se ensañaban con él, usan-
do para destrozarlo las mismas libertades que él
les había dado. Nunca una prensa innoble y ciega
ni unos políticos extraviados por la pasión fueron
más crueles e injustos al atacar a quien los prote-
gía en sus excesos, que entonces *El Imparcial, El
Mañana, El Multicolor,* y los llamados "tribunos
del Cuadrilátero". Nunca una clase conservadora,
por simple odio a quien no la trituraba pudiendo
hacerlo, ansió tanto la caída de un hombre, como
la que entonces ridiculizaba y vilipendiaba a Madero, sin darse cuenta de que, por de pronto al
menos, él estaba salvándola de la ruina.

Y de aquel modo, Madero, que se enajenaba la
devoción de sus partidarios y amigos por no ata-
jar desde el gobierno a la conjura de los reaccio-
narios, no se granjeaba la piedad de éstos, ni su
simpatía, ni su tolerancia, sino la burla, el escar-
nio y la calumnia, convertibles en acción, franca o
solapada, que pronto lo destruyera. Eran la cegue-
dad, la pequeñez, la incontenible pasión rencorosa,
dominantes y feroces frente a un hombre bueno,
de espíritu apostólico, débil ante la tragedia de
"no poder encontrar —igual que nadie la habría
encontrado— la fórmula de gobierno apta para
una sociedad que bruscamente, sin preparación,
pasaba de un régimen severo, negación de la liber-

tad, a otro, blando, que proclamaba todas las libertades".

Porque entre aquel ambiente de antimaderismo, activo o pasivo, cundía palpable y casi definida —se pronosticaban hechos, se mencionaban nombres— la inminencia del levantamiento militar que derrocaría al gobierno. Si los grandes periódicos, sin decirlo, querían que el hecho ocurriese, y lo fomentaban, los periódicos ínfimos, en su impaciencia agorera, casi lo denunciaban. Y en el rumor callejero, igual. Se hablaba de Victoriano Huerta, de Bernardo Reyes, de Félix Díaz, de Manuel Mondragón en términos de certeza sobre cuándo, cómo y con quién se sublevarían. La policía, naturalmente, estaba al tanto; además, gente adicta al gobierno traía a los ministros noticias y detalles de lo que se tramaba. Pero todos se sentían abúlicos, todos se hallaban como paralizados por la falta de entusiasmo o el desvanecimiento de la fe, y algunos se contagiaban de la filosofía optimista de Madero, que tenía por imposible que ningún mal lo acechara. Creía él que los mexicanos eran fundamentalmente buenos y estaba seguro de representar, junto con sus colaboradores, el principio del bien.

Una noche, a mediados de enero, don Jerónimo López de Llergo se presentó en la casa del Vice-

presidente de la República para comunicarle que
Victoriano Huerta, según le acababa de informar
un alto jefe de la Secretaría de Guerra, acaso se
alzara en armas aquella misma noche, seguido de
una parte de la guarnición de la plaza. Pino Suárez mandó decir a García Peña, Ministro de la
Guerra, lo que sabía, y éste, recibiendo la noticia
con cierto desdén, observó: "Si no se tiene confianza en el ejército ni fe en los hombres, no se puede
gobernar." A poco, avisado de lo que se decía,
Victoriano Huerta acudió a presencia de Pino Suárez y le protestó lealtad, con mil razones y en
todos los términos imaginables.

A tanto llegaba aquella situación —la de un
gobierno inclinado a practicar la doctrina de la
no resistencia al mal, y decidido a dejar sueltas
las fuerzas malignas confabuladas en su contra—
que libremente se discutían en el Congreso y en
los periódicos las ventajas o desventajas de que
la legalidad sucumbiera. "El esfuerzo de los mexicanos —decía el señor Calero— debe tender a
que el gobierno corrija sus graves deficiencias,
para que pueda vivir toda su vida constitucional.
Considero ciega la labor de los que piden la caída
del presidente. Si este gobierno cae por obra de
una revuelta, estaremos perdidos, porque entrare-
mos en un nuevo ciclo de revoluciones y cuarte-
lazos."

Hondamente alarmados por cuanto se sabía o se esperaba, los diputados adictos al gobierno, que eran los más, fueron el 13 de enero ante el Presidente de la República y le leyeron un memorial preñado de signos ominosos.

"La Revolución —le decían— se ha hecho poder, pero no ha gobernado con la Revolución. La Revolución va a su ruina, arrastrando al gobierno emanado de ella, sencillamente porque no ha gobernado con los revolucionarios, pues sólo estando los revolucionarios en el poder se podrá sacar avante a la Revolución. Las transacciones y complacencias con individuos del régimen político derrocado son la causa eficiente de la situación inestable en que se encuentra el gobierno. ¿Cómo es posible que se empeñen, o se hayan empeñado, en el triunfo de la causa revolucionaria personas que desempeñan, o han desempeñado, altas funciones políticas o administrativas en el gobierno de la Revolución sin estar identificadas con ella? ¿Cómo, si no la sintieron, ni la pensaron, ni la han amado, ni pueden amarla? La labor emprendida por esas personas infidentes ha prosperado en muchos Estados de la República y hierve y fermenta en odios contra el gobierno de la ley. Era natural y lógico que sobreviniera la contrarrevolución, pero también lo era que ésta hubiese sido

sofocada ya por el gobierno más fuerte y popular
que ha tenido el país. Sin embargo, ha acontecido
lo contrario. ¿Por qué? Primero, porque la Revolución no ha gobernado con los revolucionarios;
después, porque el gobierno ha olvidado que las
revoluciones sólo triunfan cuando la opinión pública es su sostén, y vamos camino de que la contrarrevolución consiga adueñarse de la opinión pública. ¿Qué ha hecho el gobierno para mantener
incólume su prestigio? El gobierno, creyendo respetar la ley, ha consentido que sea apuñalada la
legalidad. La contrarrevolución existe cada vez
más peligrosa y extendida, no porque los núcleos
contrarrevolucionarios sean hoy más fuertes, sino
porque va apoderándose de las conciencias por
medio de la propaganda de la prensa, que día a
día conculca impunemente la ley, labrando el desprestigio del gobierno, mayor cada vez, y porque
todo el mundo piensa ya que este gobierno es débil. Se le ultraja, se le calumnia, se le infama, se
le menosprecia, todo impunemente. La prensa ha
infiltrado su virus ponzoñoso en la conciencia popular, y ésta llegará al fin a erguirse un día contra
el gobierno en forma violenta e incontrastable, en
la misma forma en que antes se irguió contra la
tiranía. Debemos, pues, concluir que la contrarrevolución parece fomentada por el propio gobierno,
fomentada con sus contemplaciones y lenidades pa-

ra con la prensa de escándalo, fomentada por medio del ministerio de Justicia, que se ha cruzado de brazos violando la ley, que es violar la ley consentir en que ella sea violada. El propósito de la contrarrevolución es evidente: hacer que la Revolución de 1910 pase a la historia como un movimiento estéril, de hombres sin principios que ensangrentaron el suelo de la patria y la hundieron en la miseria. Los medios de que la contrarrevolución se ha valido y se vale son: el dinero de los especuladores del antiguo régimen, la pasiva complicidad de los dos tercios de los gobernantes de la República y la deslealtad de algunos intrigantes que fueron objeto de inmerecida confianza. Sus adalides más activos y fuertes son los periodistas de la oposición y los diputados de la llamada minoría independiente; y su colaborador más eficaz es el ministerio de Justicia. Cambiad, señor presidente, este ministerio, o imponedle una orientación política distinta, no para iniciar una era de atentatorias persecuciones a la prensa, sino para la represión enérgica y legal de las transgresiones a la ley. Con sólo eso, el gobierno reaccionará en la opinión y se convertirá en una entidad respetable y temida. Acabando con los conspiradores de la pluma, se acabará con los conspiradores del capital, se acabará con la inercia contemplativa de los gobiernos de los estados y se facilitará la pacificación del país, para gloria de vuestra señoría y de la Revolución de 1910."

Madero oyó con benevolencia lo que sus amigos políticos le decían, pero calificó de exagerados todos aquellos temores.

Hubo susurros de que el movimiento militar estallaría el primer día de febrero. Después se supo que se le posponía para el día 5, durante la ceremonia conmemorativa de la Constitución frente al monumento de Juárez, donde por un golpe de mano los conjurados se apoderarían del presidente y de todo el gobierno. De no ser así —se auguraba—, el movimiento se llevaría a cabo la noche de aquel mismo día, al evadirse de Santiago Tlaltelolco el general Bernardo Reyes, que para eso contaba con la fuerza del Primer Regimiento de Caballería, destacado en el cuartel anexo a la prisión. Pero sucedió, en la ceremonia de la mañana, que entre las tropas designadas para hacer los honores al Presidente de la República estaba el Colegio Militar, ante el cual los conspiradores se arredraron, bien por no complicarlo en un acto bochornoso en extremo, o bien por temor a la actitud que el Colegio pudiera asumir, y con él, a su ejemplo, las demás unidades militares presentes. Y ocurrió también, por la noche, que el general Lauro Villar, Comandante Militar de la

Plaza, mandó al cuartel anexo a Santiago Tlaltelolco otros dos escuadrones del Primer Regimiento,
éstos mandados por el mayor Juan Manuel Torrea,
jefe de pundonor y espíritu militar acrisolados, y
la presencia de esas nuevas tropas, o eso y alguna
otra causa más, estorbaron lo que se proyectaba.

Entretanto, seguían celebrándose casi abierta-
mente los conciliábulos de los conspiradores. Los
había en Tacubaya: en la casa del general Manuel Mondragón o en la del general Gregorio Ruiz;
los había en México: en el despacho de Rodolfo
Reyes, o en la casa del doctor Enrique Gómez, o
en el Hotel Majestic, propiedad de Cecilio Ocón.
Éste y el doctor Espinosa de los Monteros, a quien
servían de agentes o intermediarios el capitán
Romero López, Miguel O. de Mendizábal, Pedro
Duarte, Enrique Juan Palacios, Francisco de P.
Sentíes, Rafael de Zayas Enríquez (hijo), Felipe
Chacón, Abel Fernández, concertaban juntas con
jefes y oficiales del ejército, o hacían propaganda
en los cuarteles. Había ya acontecido, al celebrarse
la Navidad del Soldado bajo los auspicios de co-
misiones de damas patrocinadas por la esposa del
Presidente de la República, que los agentes de los
conspiradores intentasen aprovechar para sus pré-
dicas subversivas, corruptoras del ejército, hasta
las reuniones públicas de la oficialidad de los
cuerpos. Así ocurrió en Tacubaya, en el Primer

Regimiento de Caballería, donde el mayor, que hacía veces de segundo jefe, tuvo que salir al paso de las frases con que un paisano, invitado a hablar por el coronel, denigró en presencia de éste al gobierno de Madero y ensalzó a quienes lo atacaban.

En la aparente soledad de su encierro, Bernardo Reyes esperaba con impaciencia la hora de salir a pelear. Exigía que se hiciera algo, lo que fuese, cualquier cosa definitiva. "No se preocupen por mí —recomendaba a su hijo Rodolfo y a los demás conspiradores—; arreglen lo más práctico, lo más rápido; señálenme el momento, y yo acudiré como pueda." Félix Díaz, flemático y fatalista, dejaba hacer al general Mondragón, que lo movía todo, y no tenía más que una frase: "Yo estoy siempre listo." Henry Lane Wilson, que de todo se enteraba, había ya conseguido tener en Acapulco el acorazado *Denver*, para la protección de los intereses norteamericanos, y esperaba lograr de su colega el encargado de negocios de la Gran Bretaña que retuviese en aquel puerto el cañonero *Shearwater*. Se disponía así a poner en juego todos los resortes de su embajada.

El 6 de febrero, jueves, acordaron los conspiradores efectuar el movimiento la noche del siguiente sábado. Se fijó al fin esta fecha, y no la del día 11, escogida antes, porque Victoriano Huerta habló esa mañana al general Gregorio Ruiz para decirle que convenía prepararlo mejor todo retrasando el golpe hasta el 22 o el 24, y ello desasosegó mucho a Bernardo Reyes, que sospechó doblez en tal comportamiento.

Como para preparar el ánimo de Wáshington a la fatalidad de los sucesos que se estaban fraguando, el día 4 Henry Lane Wilson envió a Knox un informe que fuera a modo de última pintura del régimen maderista y lavara de todo pecado original a quienes se alzarían en armas y acabarían con Madero. Para lograr mejor su propósito y convencer a su gobierno de la necesidad y legitimidad del cambio que iba a ocurrir, mezclaba Wilson verdades y mentiras y citaba en su apoyo a Manuel Calero y Luis Cabrera, que acusaban al gobierno de "falsear sistemáticamente en el extranjero la verdadera situación de México". El informe decía cosas como éstas:

"El área de la revolución armada parece haber disminuido sensiblemente en el Norte; pero hay abundantes signos de que las actividades revolucionarias se reanudarán de modo formidable en los Estados de Chihuahua, Durango, Coahuila, Nuevo León y Zacatecas. Las negociaciones de paz celebradas recientemente sólo fueron promovidas

por los revolucionarios, según opina esta embajada, con el objeto de ganar tiempo para cimentar
ciertas alianzas y concluir el paso de armas y
municiones por la frontera. En el Sur la exten-
sión del movimiento revolucionario es la misma.
Hay momentos en que la actividad revolucionaria, ante la incapacidad total del gobierno para
enfrentarse con la situación, abarca todo el país,
desde el Pacífico hasta Veracruz, y luego, exhaus-
tos de armas y municiones, los revolucionarios ini-
cian falsas negociaciones de paz. La impotencia
militar del gobierno en el Norte y en el Sur se
debe sobre todo a la irremediable situación del
ejército, que rápidamente está perdiendo el espíritu y disciplina que tenía bajo Porfirio Díaz; que
está destrozado por intrigas y disensiones, y que sólo guarda unidad en su disgusto y desprecio por
el actual gobierno. Los revolucionarios, que domi-
nan una tercera parte de los Estados de la República, no sólo consumen allí los productos del
trabajo, sino que destruyen las fuentes de produc-
ción. Es enorme el número de haciendas que están
ociosas y con sus implementos destruidos. Son
enormes, y van en aumento, la incomunicación fe-
rroviaria y la destrucción del material de los ferro-
carriles. No se conoce el número de minas clausu-
radas, pero debe de ser muy grande. Todo lo cual
ha trastornado y deprimido los intereses financie-

ros y bancarios y amenaza la vida del comercio y de la industria. Nueve Estados de la República se hallan en quiebra: unos por su desequilibrio presupuestario y otros por falta de honradez en quienes los administran. En vez de las finanzas bien saneadas y las amplias reservas que existían a la caída de Porfirio Díaz, prevalecen el desorden y el derroche por conductos desconocidos, aunque seguramente corrompidos algunas veces. Ante la intolerable situación que existe en todo el país, el gobierno es incapaz de afrontar o remediar de algún modo los peligros que se acumulan a grandes pasos. El gobierno se halla dividido en facciones rivales, cuyos propósitos se resuelven en intrigas menudas y en una política liliputiense que nada tiene que ver con la salvación del país ni con la restauración del prestigio nacional; y según tiene que ser, de esto resulta un gobierno impotente frente a las dolencias nacionales, y truculento, insolente y falso en sus relaciones diplomáticas. La libertad de prensa no existe de hecho, ni se pretende que exista. En cuanto a elecciones libres, tan pronto como el actual gobierno llegó al poder, empezó, por intrigas en unos casos y por la fuerza en otros, a deponer a unos gobernadores y a imponer a otros. También ha intervenido en las elecciones de diputados y senadores; pero por la imperfección de las organizaciones locales y la poca lealtad de los Estados hacia el gobierno, el Congreso sigue siendo independiente y cada vez lo es más. En la capital la situación de esta hora se caracteriza por un infinito número de intrigas y maniobras políticas; por la intolerancia del gobierno frente a todo lo que sea libertad de pensamiento y expresión; por un amplio sistema de espionaje, que persigue y vigila los pasos de los hombres públicos importantes que disienten del gobierno; por la mentira y la falsedad al exponer las condiciones reales del país, y por la difamación y calumnia de cuantos tienen independencia y valor bastantes para criticar y exigir más inteligencia en el manejo de los negocios públicos. Esta campaña de falsedad se hace en grande escala. Los agentes del gobierno, mexicanos y norteamericanos, ostensibles y secretos, no descansan ni en México ni en los Estados Unidos; y es parte del sistema no sólo esparcir falsas pinturas de la realidad, sino desacreditar e impugnar los móviles de los representantes diplomáticos y consulares de nuestro gobierno. En cuanto al concepto de Madero acerca de sus obligaciones para con los extranjeros que han venido acá con su energía y su capital, el discurso que pronunció el día de Año Nuevo ante el cuerpo diplomático apenas si deja lugar a duda."

V
TACUBAYA

Llegó así el sábado 8 de febrero. Estaban comprometidos en la conspiración los tres regimientos —dos de artillería y uno de caballería— acuartelados en Tacubaya, las compañías de ametralladoras de San Cosme, los alumnos de la Escuela de Aspirantes —inducidos a la rebelión por sus oficiales instructores, los capitanes Escoto, Armiño, García y Zurita—, el regimiento de artillería acuartelado en San Lázaro, varias fracciones del 20° Batallón —que esa noche montaría guardia en Palacio y en Santiago—, parte de los artilleros del cuartel de la Libertad, un batallón de las fuerzas de Seguridad, con fracciones de otro, y unos doscientos hombres de la Gendarmería Montada. Por sí mismo, Bernardo Reyes había logrado seducir a varios de los oficiales que tenían comisión de planta en Santiago y a la fuerza del Primer Regimiento de Caballería destacada en el cuartel anexo a la prisión. Se contaba, además, con los oficiales de guardia en la Penitenciaría del Distrito, los cuales, por lo menos, se habían comprometido a no intentar nada contra Félix Díaz en el momento en que los sublevados fueran a ponerlo libre.

Mondragón, oculto en Tacubaya desde un día antes, seguía atendiendo a todos los detalles del complot, en lo que lo ayudaban con eficacia el general Ruiz, a quien hacía inmune su carácter de diputado; Rodolfo Reyes, Samuel Espinosa de los Monteros y algunos otros. Toda aquella mañana y parte de la tarde las consumió Rodolfo Reyes yendo y viniendo entre la prisión de Santiago y los lugares donde lo citaba el general Ruiz. En una de sus entrevistas don Bernardo le dictó los puntos principales de la proclama que quería dirigir al pueblo, junto con Félix Díaz, Manuel Mondragón y Gregorio Ruiz, y la cual debía imprimirse esa misma noche, o al otro día, triunfante ya el movimiento. Errónea y falsa en el fondo, como cuanto insuflaba a tan lastimosa aventura —que haría a don Bernardo echar por tierra su historia militar—, la proclama en proyecto parecía inspirarse en cierta moderación de trazo y propósitos pues recomendaba don Bernardo que se hablara en ella del respeto a la vida del Presidente de la República y demás funcionarios depuestos; de la intención de cumplir los más importantes postulados de la Revolución de 1910; del compromiso de erigir un gobierno provisional en que no figurara ninguno de los cuatro principales sublevados, y de otras cosas análogas.

Era plan de los conspiradores reunir en Tacubaya, antes de las dos de la madrugada siguiente, el núcleo central de sus fuerzas, con las cuales se formarían dos columnas, una mandada por Ruiz y la otra por Mondragón. Así dispuestos, los rebeldes avanzarían inmediatamente sobre la ciudad de México, y tras de recoger en el camino otra parte de las tropas con que contaban, la columna de Ruiz se dirigiría a Santiago Tlaltelolco y la de Mondragón a la Penitenciaría. Con ayuda de los aspirantes, que habrían de llegar a Santiago desde Tlalpan, Ruiz pondría en libertad a Bernardo Reyes, y Mondragón, unido a los artilleros de San Lázaro, dispuestos a moverse hacia la Penitenciaría desde su cuartel, pondría en libertad a Félix Díaz.

En los alrededores de Santiago deberían encontrarse, desde poco después de la medianoche, grupos de paisanos dirigidos por Rodolfo Reyes, Samuel Espinosa de los Monteros, Juan Pablo Soto y algunos otros reyistas. Unos rondarían en automóvil, otros a pie, mientras un grupo más, a las órdenes del mayor Jesús Zozaya, aguardaría en una casa cercana, donde se tendría ensillado ya y con las pistolas en la montura el caballo del general Reyes. Estos civiles deberían estar pendientes de la aparición de las tropas sublevadas, para darles aviso de todo lo que sucediese y luego unirse a ellas, así como de cualquier señal que don Bernardo hiciera desde su ventana, en caso de ocurrir algún contratiempo. La precaución se juzgaba indispensable porque el coronel Mayol, jefe de la prisión militar, no figuraba entre los conspiradores.

Análogas precauciones a las dispuestas para los alrededores de Santiago se trazaron para no perder de vista la Penitenciaría, éstas con el fin de que también Félix Díaz quedara al abrigo de cualquier sorpresa; otras más, para evitar que algún descuido comprometiera el buen éxito de la asonada, y otras, para hacerla triunfar con rapidez. Como el mayor Torrea, segundo jefe del Primer Regimiento de Caballería, no sólo no estaba en la conspiración, sino que podía estorbarla, uno de los capitanes del cuerpo tenía la misión de apoderarse de él esa noche y atarlo. Otro capitán debía acercarse a la casa del Comandante Militar, que de seguro saldría solo a la calle al recibir aviso de que la guarnición de la plaza se estaba sublevando, y tenía órdenes de echarse sobre él, sujetarlo y llevarlo a poder de los sublevados. Martín Gutiérrez, jefe de tropas auxiliares y conocedor del Ajusco, se encargaría de vigilar con varios hombres

de confianza el Castillo de Chapultepec, para apoderarse del señor Madero si intentaba salir, y man-
tendría expedito el camino por donde los jefes
sublevados pudieran retirarse en caso de que el
movimiento fracasara.

Mucho de aquello había transpirado y, aunque
vagamente, era conocido por la policía y el gobierno. Anónimos, y por boca de personas serias
y dignas de crédito, uno tras otro llegaban a los
ministerios y demás oficinas públicas los avisos
del levantamiento que se preparaba para aquella
noche. El general Delgado trajo la noticia a Juan
Sánchez Azcona, secretario particular del presidente; se la trajo también Francisco Cosío Robelo.
Al Ministerio de Gobernación le dieron aviso el
jefe de las fuerzas rurales y un amigo suyo, don
Leopoldo Martínez. Esa mañana el mayor Emiliano López Figueroa, inspector general de policía,
informó de todo al general García Peña, Ministro
de la Guerra, y al general Villar, Comandante de
la Plaza. Pero todo, avisos espontáneos e informes
oficiales, se estrellaba inexplicablemente contra
la incredulidad o el optimismo. El Comandante
Militar, al tanto del complot desde días antes, esperaba que la policía le trajera pruebas concluyentes, no meros informes, para adoptar medidas
enérgicas, y, aun así, no estaba muy seguro de lo

que consiguiera hacerse, pues lo asaltaba el temor
de que, obrando con severidad, el gobierno lo
desautorizase.

Aquellos temores del general Villar no carecían
de fundamento. Un día antes el coronel Rubén
Morales había estado en una reunión donde se en-
teró de lo que se maquinaba en los cuarteles. Vino
en seguida a comunicarlo al señor Madero, de
quien era ayudante, y aun llegó a pedirle instrucciones y autoridad que le permitieran recabar pruebas contra los principales conspiradores. El presidente, nada inclinado a creer, lo citó para el otro
día, es decir, para el sábado 8; pero esta vez, por
estar muy ocupado con el general García Peña, no
lo recibió, quizá porque en aquellos momentos el
Ministro de la Guerra estaba diciéndole lo mismo
que Morales le venía a informar. El coronel resol-
vió entonces contar a la señora de Madero cuanto
le constaba o sabía, y como ella repitiera luego a
su esposo la conversación, el presidente mandó
llamar a Morales y lo reprendió por su conducta.

Entre creer y no creer, y receloso de la actitud
del gobierno, el general Villar tropezaba, además,
con muy serias dificultades para poner remedio.
Tantos eran los militares señalados como conspiradores, de tantos se sospechaba, se aseguraba, se
decía, que salvo una remoción general en los mandos, todo resultaba inútil. De ello había hablado

el Comandante Militar al Ministro de la Guerra; pero éste, incrédulo también, convencido, como el presidente, de la imposibilidad de que el ejército faltara, todo ni en parte, al cumplimiento de sus deberes, no había hecho nada, o lo hacía con tal lentitud que los resultados no llegaban a sentirse.

A pesar de su optimismo, aquel sábado por la tarde el Ministro de la Guerra analizó, juntamente con el subsecretario, general Manuel Plata, las noticias recibidas, y poco después mandó llamar al Comandante Militar y le recomendó que tomara algunas providencias en previsión de lo que se anunciaba. El general Villar hizo ver que no tenía en la plaza fuerzas suficientes para contener una rebelión hecha por militares, pues para el caso sólo disponía, aparte de unos cuantos reclutas de diversos batallones que estaban en cuadro, de dos cuerpos: el 20º Batallón, que no le merecía confianza, aunque la tuviera toda por parte del Presidente de la República, y el Primer Regimiento de Caballería, en el que tampoco ponía él la menor fe, aunque se la otorgara el Ministro de la Guerra. Éste le contestó: "Bueno, pues a ver qué haces con lo que tienes, porque no hay modo de darte más."

Mandó Villar que en el acto vinieran a su oficina los jefes de todos los cuerpos de la guarnición y les habló con gran firmeza. Les dijo que

habían llegado hasta el gobierno rumores de un
complot, en el que intervenían jefes y oficiales
prontos a cometer una deslealtad; que se hablaba
de un posible levantamiento para aquella misma
noche, que aunque él no creía en la verdad de
tales versiones, sólo encaminadas seguramente a
manchar el honor del ejército, exhortaba a los jefes
presentes al cumplimiento de su deber y esperaba
que todos lo escucharan, pues con la cabeza le
respondían de la disciplina de las tropas que cada
uno tenía a sus órdenes.

Dispuso también Villar el acuartelamiento de
toda la guarnición y ordenó que dos escuadrones
del Primer Regimiento, al mando del mayor Juan
Manuel Torrea, de quien sí se fiaba, salieran de
Tacubaya a las nueve de la noche, uno para incor-
porarse a la fuerza destacada en el cuartel anexo
a la prisión de Santiago, y el otro para instalarse
en acantonamiento de alarma en el cuartel de Zapadores, contiguo a Palacio y desocupado entonces. Los dos escuadrones deberían hacer el reco-
rrido de Tacubaya al Zócalo, por la Reforma y
Plateros, en columna de viaje por dos, para dar
impresión de fuerza más numerosa, y después de
formar frente al Portal de Mercaderes, cada escuadrón iría al servicio que se le había señalado.

La exhortación de Lauro Villar a los jefes de

los cuerpos hizo en ellos huella tan honda, que el teniente coronel Aguillón, jefe del Segundo Regimiento de Artillería, y el coronel Anaya, jefe del Primer Regimiento de Caballería, pensaron desistir de sus propósitos y hablaron de la conveniencia de posponer el movimiento.

Avisados Mondragón y Ruiz, durante unas horas temieron que el complot no pudiera estallar aquella noche, y pasadas las cinco de la tarde, lo avisaron así a Rodolfo Reyes, para que éste lo comunicara a don Bernardo, y lo mismo mandaron decir a Félix Díaz. Pero volvieron a reunirse en Tacubaya los principales directores de la conspiración, y llamados otra vez Aguillón y Anaya, se consiguió de nuevo, gracias al ascendiente de Mondragón y Ruiz, que los dos jefes consintieran en no apartarse de lo convenido. Fue aquella una junta en que hubo forcejeo y acaloradas discusiones y a la cual asistieron muchos de los militares y paisanos comprometidos.

Dos o tres horas antes, el coronel Anaya, atento en su cuartel a la organización de los dos escuadrones que estaban por salir al mando del mayor Torrea, trató de apartar a éste del servicio que se le había confiado, o de estorbárselo. Quiso al principio, por medio del primer ayudante, dar el mando de uno de los escuadrones al capitán que tenía

para esa noche el encargo de apoderarse de Torrea;
y luego, al saber que el mayor rehusaba llevar
consigo al capitán, pretendió tomar por algunas
horas el mando de la columna para cambiarla a
su gusto, lo que estuvo a punto de conseguir valiéndose de una circunstancia imprevista: haber
llegado en aquel momento a despedirse de Torrea
un pariente suyo que salía de viaje. Pero el mayor,
que por recelo no había aceptado la lista de oficiales que le proponían, sino que tomó los que
consideraba fieles, invocó los principios militares
para rechazar que se le supliera en el servicio que
ya se le había ordenado. Todavía así, el primer
ayudante, instigado acaso por el coronel, retrasó
la formación de los escuadrones; engañó al mayor
diciéndole que no había personal bastante ni para
completar dos escuadrones mínimos, y puso tantos
obstáculos, que Torrea lo tuvo que arrestar. Con
todo, el mayor pudo al fin salir de Tacubaya, según
las órdenes del Comandante Militar, y poco después de las once de la noche estaba ya instalado
en Zapadores, aunque no completo su escuadrón,
mientras la otra parte de su fuerza, también con
una escuadra menos, se dirigía del Zócalo al cuartel de Santiago.

De la reunión de esa noche en Tacubaya había
recibido prontos informes la Inspección General

de Policía, no obstante que los conspiradores, alarmados al ver que se les vigilaba muy de cerca, llamaron a los agentes y trataron de despistarlos rogándoles que impidieran por allí el paso de coches, pues en aquella casa —aseguraban— se estaba operando a un militar. López Figueroa rindió parte, inmediatamente, a los ministros de Gobernación y Guerra y mandó a Tacubaya otros agentes que le trajeran mayores datos; pero no satisfecho aún, pasadas las diez fue a hablar personalmente con el general García Peña, para confirmarle sus noticias y reiterarle cómo era seguro que esa noche se produciría un levantamiento. El ministro, no más inclinado que antes a creer en la inminencia de la sublevación, se limitó a oír, y luego expuso al inspector general las razones que lo inducían a no tener por cierto lo que se le estaba asegurando. "¿Qué generales —replicaba— son los que se pueden levantar? Bernardo Reyes y Félix Díaz están presos, a Mondragón no lo sigue nadie; Huerta es un borracho que sólo anda a caza del dinero que ya se le va a dar; de Gregorio Ruiz no puede creerse. Conque váyase usted a dormir y déjeme a mí hacer lo mismo."

Desesperado, López Figueroa se fue en busca de Gustavo Madero, que estaba cenando en Sylvain con el grupo de diputados renovadores que festejaban a José J. Reynoso por su nombramiento de subsecretario de Hacienda, y le contó lo que la policía había visto y oído en Tacubaya. Gustavo, que sí tomó en serio lo que le comunicaba el inspector general, pidió a éste unos agentes, para ir a comprobar por sí mismo la veracidad de los informes, y ofreció, si el complot resultaba cierto, cuidar personalmente que se tomaran las providencias necesarias.

Más o menos a esa hora, Victoriano Huerta salía de la casa de Rafael Hernández, Ministro de Gobernación, a quien había hecho larga visita para quejarse del comportamiento del gobierno y del presidente, que desconfiaban de él. "El gabinete —había dicho al ministro— hace mal en postergarme y mirarme con recelo; García Peña y Manuel Plata no valen nada como militares; en México no hay más que un general, que soy yo. El gobierno está hoy en grave peligro, en más peligro que nunca; pero pase lo que pase yo lo salvaré. Salvaré al gobierno, salvaré al Presidente de la República, y así me vengaré de él, ya que no ha sabido apreciar mis servicios ni mi devoción. Porque, ¿cómo puede dudarse de mi honor de soldado ni de mi lealtad? ¿Se imagina el gobierno el número de conspiraciones que yo he desbaratado para que no caiga?" Y había seguido expresándose así, con palabras e insinuaciones que no hacían sino

confirmar las noticias del complot de que se hablaba en todas partes, por donde no resultó extraño
que, ido apenas, mandara con un ayudante informes exactos de lo que estaba pasando en Tacubaya.

VI

LA SUBLEVACIÓN

Pasadas las once de la noche, los generales Mondragón y Ruiz, junto con otros conspiradores, se trasladaron al cuartel del Segundo Regimiento de Artillería, resueltos ya a ejecutar cuanto tenían pensado, y concertaron allí los últimos detalles para dar comienzo a la sublevación.

Se despachó a un teniente en busca del destacamento de dragones que estaba en Santa Fe. Se mandó llamar al coronel Anaya y se acordó que él y el general Ruiz irían a levantar a los soldados del Primer Regimiento de Caballería, para que desde luego ensillaran y se armasen. Se asignó Mondragón la tarea de convencer al teniente coronel Catarino Cruz y al mayor Baldomero Hinojosa, jefes del Quinto Regimiento de Artillería, que rehusaban seguir el ejemplo de sus superiores y compañeros y que, abandonados por sus oficiales, se habían encerrado en sus alojamientos. Se encargó Aguillón de ordenar lo necesario para que oportunamente despertara, atalajara y se municionara la tropa de los dos regimientos de artillería. Se dispuso que el capitán Romero López se ocupara en alistar las compañías de ametralladoras de San Cosme, a la vez que hacían lo mismo con sus soldados los artilleros del cuartel de la Libertad. Se dejó a Rodolfo Reyes el cuidado de redactar la proclama del movimiento, según lo quería su padre, y el encargo de descubrir, con ayuda de Zayas Enríquez y otros, el paradero del general Velázquez, que a última hora no aparecía por ningún sitio, y a quien también se quería encomendar la captura del señor Madero. A la Escuela de Aspirantes nada había que ordenar: sabían los capitanes instructores que a primera hora de la madrugada debían levantar y armar a los cadetes para lanzarse con ellos hacia México, en tranvía o como se pudiera; y en cuanto al regimiento acuartelado en San Lázaro, el mayor Trías, que acababa de llegar, traía la noticia de que allá las cosas parecían descomponerse, pues el teniente coronel Gamboa, jefe del cuerpo, había sorprendido a Alberto Díaz y a Duhart en el momento en que se presentaban a trasmitir las órdenes finales, por lo que el teniente coronel había entrado en sospechas y estaba tomando algunas precauciones.

Estaban en eso cuando se acercaron al cuartel los dos automóviles en que Gustavo Madero había salido a emprender su exploración. Un agente, que bajó de uno de los coches y vino a pararse frente a la puerta para inquirir mejor lo que pasaba, fue detenido por el teniente de guardia y llevado al interior; y como allí, amenazado de muerte, confesó lo que andaba haciendo, y quién lo mandaba, un grupo de militares y civiles —Cecilio Ocón, Bonales Sandoval, Víctor Velázquez, Martín Gutiérrez— salió dispuesto a capturar a Gustavo Madero y sus otros acompañantes, que lo comprendieron a tiempo y lograron huir. Entonces, amenazando otra vez al agente preso, los conspiradores consiguieron de él que llamara al Inspector General de Policía y le dijera que no se notaba nada extraño en los cuarteles de Tacubaya ni en sus alrededores. Pero eso de nada les aprovechó, porque el Inspector, lejos de dejarse engañar, ordenó que en el acto salieran a redoblar la vigilancia dos piquetes de la gendarmería montada, que fueron a patrullar por la Reforma y la Avenida Chapultepec, y tres automóviles ocupados por un jefe de aquel mismo cuerpo y varios gendarmes y agentes.

Desde Zapadores, el mayor Torrea, que ya estaba acuartelado allí con su escuadrón, se comunicó a medianoche con el general Lauro Villar y le rindió parte de haber cumplido puntualmente las órdenes que se le habían dado. El Comandante Militar le recomendó entonces ejercer muy estrecha vigilancia dentro y fuera del cuartel y estar pronto a reprimir, sin ningún miramiento, el menor indicio de trastorno o desórdenes. Respondió Torrea que lo haría así, y bien montados ya todos sus servicios, salió a recorrer la calle de la Acequia y el frente de Palacio, tras de lo cual, seguro de que nada anormal se descubría a primera vista, volvió a la puerta del cuartel de Zapadores.

Estando allí se le apareció de súbito, con la explicación de que sólo venía a saludarlo, el capitán primero que había él rechazado esa tarde al organizar su fuerza en Tacubaya —aquel de quien luego se sabría que tenía encargo de capturar a Torrea—. Consideró éste muy irregular la visita, tanto por la hora como por ser absoluta la orden de que las tropas permanecieran en los cuarteles; de modo que se lo hizo ver así al capitán, quien trató de disculparse con el pretexto de que el coronel lo había autorizado a salir para que fuera a ver a su padre, que lo necesitaba con urgencia. En seguida, al hilo de la conversación, el capitán quiso enterarse de las disposiciones que el mayor había tomado en Zapadores, y aun le aconsejó recogerse a descansar. Pero Torrea, contestándole secamente y muy de superior a inferior, le cortó de plano las preguntas y consejos y le dio permiso para retirarse.

Dieron las tres de la mañana. Emiliano López Figueroa llamó por teléfono al Comandante Militar y al Ministro de la Guerra y otra vez los puso al tanto de la extraña agitación que trascendía de los cuarteles de Tacubaya. El general Villar contestó que los datos que se le daban no eran concluyentes, que en el acto debía salir para allá gente activa y de confianza, capaz de cerciorarse de todo. Y como a esto replicara el Inspector que estaba cierto de cuanto decía, y que los agentes destacados por él eran hombres hábiles y fieles, el Comandante Militar se comunicó con el Mayor de la Plaza, general Manuel P. Villarreal, a quien había ordenado no moverse de Palacio aquella noche, y le recomendó que se pusiera al habla, por teléfono, con los capitanes de cuartel de los regimientos sospechosos. Así lo hizo el general Villarreal. Los capitanes le informaron que en los cuarteles no ocurría novedad digna de nota, que los automóviles que pasaban por la calle no eran más que los de costumbre, que los trasnochadores a quienes se había visto entrar en la tienda "La Marina", y salir de allí con botellas de vino y paquetes de pasteles, eran los mismos que solían hacer eso todos los sábados.

Oído el informe, el Mayor de Plaza lo transmitió al Comandante Militar, que a su vez lo comunicó al Ministro de la Guerra y al Inspector, y aunque éste, respetuosamente, expresó sus dudas respecto de la veracidad de los capitanes que habían informado de aquella manera, el general Villar persistió en su actitud. Para ser más explícito, añadió López Figueroa que se había creído en el caso de reforzar también la vigilancia en torno de la prisión de Santiago, pues desde las dos de la mañana habían venido sintiéndose por allí ciertos movimientos poco explicables.

Varias veces pasaron frente a los cuarteles de Tacubaya los tres automóviles enviados por la Inspección General. Advertido Mondragón, ordenó que se les detuviera. Para eso salieron del cuartel, y se ocultaron entre las sombras y los árboles de la calle, varios grupos de militares y civiles, y al acercarse de nuevo los tres coches, uno tras otro fueron asaltados al golpe de carabinas y pistolas, y sus ocupantes, que no esperaban el ataque, quedaron desarmados y prisioneros.

Sonaron las cuatro de la mañana. En el cuartel del Primer Regimiento de Caballería se logró formar, con los asistentes, los conductores y el destacamento que en esos momentos llegaba de Santa Fe, una columna como de sesenta hombres, al frente de la cual se pusieron el coronel Anaya y el general Ruiz. Mondragón tomó el mando de los regimientos de artillería, que Aguillón formó en el patio principal del cuartel y luego arengó en nombre del ejército y contra la ruina y la desola-

ción que estaba sembrando el gobierno de Madero.
En San Cosme, puestas en armas las compañías de
ametralladoras, Romero López decidió no esperar
más la llegada de la columna de Tacubaya, que
tardaba demasiado, sino que salió a unirse con
los artilleros del cuartel de la Libertad, que también estaban ya en pie, y juntas esas dos fuerzas,
marcharon en seguida hacia Santiago con dos cañones y catorce ametralladoras. En Tlalpan, los aspirantes, impacientes al ver que no llegaban los
tranvías que les habían anunciado, se adueñaron
de dos carros de la leche; bajaron las cántaras;
subieron las ametralladoras y municiones que habían sacado de su escuela, y unos a pie, otros a
caballo, todos emprendieron la marcha hacia Hui-
pulco. Como encontraran allí un tranvía de Xo-
chimilco, los infantes lo asaltaron, y de ese modo,
al trote de la caballería, que ésta tomó largo, no
pararon hasta la ciudad de México.

Se había hecho todo con tal desorden y tal falta
de preparación, que a no ser por la pasividad y
el optimismo de las autoridades, la sublevación
hubiera fracasado desde el primer momento. No
pudo reunirse en Tacubaya el núcleo central de
los sublevados tal y como se tenía previsto; no fue
posible formar las dos columnas que simultáneamente irían a excarcelar a Bernardo Reyes y Félix Díaz; no se consiguió que las demás fuerzas

fueran incorporándose metódicamente en el camino, según avanzaba el núcleo principal. Debiendo
haber llegado frente a Santiago la columna de
Ruiz a las tres de la mañana, dieron las cuatro,
dieron las cuatro y media, dieron las cinco y no
había la menor noticia de que nadie asomara por
allí. Rodolfo Reyes y los grupos de civiles ocultos
cerca de la prisión se desesperaban mortalmente,
fijos los ojos en la luz roja que don Bernardo tenía
en su ventana, y ya casi daban por seguro el fracaso del movimiento.

Los sublevados de Tacubaya se echaron a la
calle a eso de las cuatro de la mañana. Avisado
de ello poco después, el Inspector General transmitió inmediatamente la noticia al Comandante de
la Plaza y al Ministro de la Guerra y pidió instrucciones. Villar ordenó a López Figueroa que
persiguiera con fuerzas de la policía a las tropas
sublevadas o que, por lo menos, las observara de
cerca y le anunció que ya salía él hacia Palacio
para dictar desde allí las órdenes convenientes.

En el fondo, el propio general Villar no estaba
muy seguro de lo que se pudiera hacer. Conforme
lo había dicho repetidas veces, no había en México
tropas bastantes para hacer frente a una sublevación, ni los mandos, salvo excepciones, merecían
la menor confianza. Se vistió, salió a la calle, y

como no lo dejaba andar la enfermedad que tenía en una pierna, esperó el paso de un coche que lo llevara.

Llegaron entre tanto al Zócalo el primer grupo de aspirantes y el general Velázquez, los cuales, según se tenía convenido, se dieron a conocer a los oficiales que estaban de guardia en Palacio prontos a franquearles las puertas y a sublevarse también. El Mayor de Plaza, que de acuerdo con las órdenes del Comandante Militar, velaba en su oficina, advirtió desde luego lo que pasaba, salió precipitadamente por la puerta del Correo Mayor y presuroso se fue en busca de su jefe, a quien ya no encontró en casa.

Villar, en efecto, había tomado el coche que necesitaba y venía camino de Palacio. Según desembocó el coche en el Zócalo por la esquina de Flamencos, un grupo de aspirantes, que traía dos ametralladoras en un carro, marcó el alto al cochero, y, segundos después, le ordenó seguir, pero ya no en la misma dirección, sino apartándose de allí "para evitar que algo le ocurriera". Sin ninguna duda acerca de lo que estaba viendo, Villar procuró no ser reconocido e indicó al cochero que continuase frente al Portal de las Flores; pero a poco andar, aunque a prudente distancia de los aspirantes, hizo que el coche volviera atrás y pasara frente a Palacio, arrimado no a la acera, sino bordeando los prados del centro. Pudo así ver que estaban abiertas la Puerta de Honor y la principal; que en una y otra se hallaba formada la fuerza del 20º Batallón, y que cerca de ellas se movían, con sus oficiales, grupos de aspirantes. Comprendió entonces que Palacio había caído en poder de los sublevados y dio al cochero orden de que lo llevara al cuartel de San Pedro y San Pablo.

Una vez allí, se apeó en la esquina inmediata al cuartel. Pidió ayuda a un indio, que pasaba; se acercó a la puerta, se dio a conocer, entró. Inmediatamente dispuso que se levantara la tropa, o más bien dicho, lo que quedaba de ella, pues aquel batallón era el que estaba dando el servicio de plaza, y ordenó al jefe del cuerpo, el coronel Pedro C. Morelos, que alistara a los soldados del mejor modo posible para ir a recobrar Palacio entrando por el cuartel de Zapadores.

Mientras sus órdenes empezaban a ejecutarse, llegó a reunirse con él en San Pedro y San Pablo el general Villarreal, que al no encontrarlo en su casa se había puesto a buscarlo por los cuarteles. Le dijo Villar que en ese momento se disponía a ir al cuartel de Teresitas, para sacar de allá la tropa que hubiera; que entre tanto fuera él al cuartel de Zapadores a enterar al mayor Torrea de la situación en que estaba Palacio, y de la necesidad de sostenerse allí a toda costa, mientras le mandaba refuerzos el propio comandante, o llegaba con ellos, y, por último, que luego de hablar con Torrea fuese a tomar en persona el mando de la Ciudadela, la cual, seguramente, los sublevados tratarían de ocupar, y donde, si no soldados, encontraría obreros que podía armar bien para defenderse.

Fue el general Villarreal al cuartel de Zapadores y trasmitió al mayor Torrea las órdenes que le mandaba el Comandante Militar. Inmediatamente se puso en pie todo el escuadrón, que descansaba en acantonamiento de alarma, y tomó el mayor todas las medidas necesarias para precaverse de un ataque. Se alistó la guardia, se puso vigilancia en los balcones, se tomó la azotea. Al ver que en lo alto de la casa intermedia entre Palacio y el cuartel aparecía un grupo de sublevados en actitud amenazadora, se dispuso que al menor movimiento agresivo que de allí partiera se hiciese fuego. Ordenado todo esto, llamó Torrea por teléfono al Castillo de Chapultepec para dar informes de la situación y preguntar por las tropas que vendrían en apoyo de él para recuperar Palacio. De allá nada le supieron decir. Llamó a la Inspección General y tampoco le informaron palabra.

En ese momento el oficial de guardia, que se mantenía en uno de los garitones, dio aviso de una fuerza que venía por la calle, a la deshilada y casi al ras de la pared. Ordenó Torrea que los comandantes de las fracciones, las cuales se conservaban en el patio al pie de sus caballos, estuvieran listos a romper el fuego al primer indicio de algo anormal, y ordenó al centinela marcar el alto a la fuerza cuyo avance se había descubierto y conminar al jefe de ella a que se acercara al garitón. Así se hizo: la fuerza, cosa de sesenta hombres, resultó ser la que mandaba del cuartel de San Pedro y San Pablo el general Villar, y que su jefe, el coronel Morelos, venía a Zapadores para recobrar Palacio.

Según las órdenes del Comandante de la Plaza, Morelos, con parte de la gente que ya estaba en Zapadores, tenía que entrar en Palacio rompiendo la puerta que daba del cuartel al jardín, y a partir de allí debía recobrar todo el edificio cayendo por la retaguardia sobre los alzados. Como el coronel no conocía bien el trayecto que había de seguir, el mayor, que lo conocía bien por haber sido otro tiempo ayudante de la Mayoría de Órdenes de la Plaza, se lo explicó. Pero al oírlo, Morelos tuvo el proyecto por temerario y decidió no seguir aquel camino, sino ir a abrirse paso por la puerta de la Secretaría de Guerra o por la del Correo Mayor.

VII

LAURO VILLAR

Gustavo Madero se esforzaba por obligar al gobierno a defenderse. Cerca de las cuatro de la mañana se comunicó con el Presidente y el Vicepresidente de la República, para contarles lo que había visto y convencerlos de la gravedad de la situación, y media hora después, tras de hablar de nuevo con el Inspector General de Policía, por quien supo que los regimientos de Tacubaya estaban ya fuera de sus cuarteles, se vino hacia Palacio en busca del Comandante de la Plaza, para ver qué providencias se tomaban ante tales acontecimientos. Llegó a la puerta principal cuando ya el edificio estaba en poder de los alzados, cosa que él no sabía ni se esperaba, y como la guardia lo dejó pasar, nada notó ni sospechó hasta que, ya dentro, los aspirantes lo rodearon y desarmaron, sin dejarle punto para escapar o resistir. Cogido así, sus apresadores lo llevaron a la sala de banderas y allí lo dejaron con centinelas de vista.

Por otro lado, Pino Suárez había ido a despertar al Gobernador del Distrito, Federico González Garza, para pedirle noticias y comunicarle las muy graves que él ya tenía; y luego, juntos los dos, habían intentado trasladarse a Palacio, igual que Gustavo Madero. Pero sorprendidos, al acercarse a la Puerta de Honor, por la llegada de la caballería de los aspirantes, que en aquel momento se presentaba arrolladora y carabina al muslo, ya no intentaron entrar, sino que huyeron hacia la calle de la Moneda, justamente en el momento en que los sublevados iban a envolverlos.

Preso ya Gustavo Madero, entró en Palacio el Ministro de la Guerra. Él también, como el Comandante Militar de la Plaza, se había vestido precipitadamente al saber que venía de Tacubaya la columna rebelde de Mondragón, y se había dirigido a su oficina para dictar las medidas necesarias. Pero mientras Lauro Villar, con mejor suerte, pudo asistir desde lejos a la caída de Palacio en poder de los aspirantes, él, ignorante de este último hecho, llegó hasta la Secretaría de Guerra, entró, y dentro ya, tuvo que acometer por sí solo el sometimiento de las tropas desleales. Al principio lo ayudó la circunstancia de haber llegado a unírsele el coronel Morelos y los sesenta hombres que con él acababan también de entrar por la puerta del Correo Mayor; auxilio que permitió al ministro reducir al orden a los aspirantes y soldados que estaban en la azotea, y desarmarlos. Pero en seguida, resuelto a lograr eso mismo con los sublevados de la planta baja, García Peña dejó a Morelos el cuidado del punto que acababan de recobrar, y tras de recomendarle que le mandara lo antes posible treinta hombres de los sesenta que tenía, pues era urgente ocupar con ellos otras alturas de la plaza, pasó a los corredores del primer piso, solo otra vez, y luego, temerariamente, bajó hasta el patio central. Al verlo al pie de la escalera, un subteniente montado que allí estaba le intimó rendición, a lo que él, en vez de rendirse, contestó derribándolo del caballo. Entonces los aspirantes empezaron a hacerle fuego, y ello en tal forma, que tuvo que refugiarse en los bajos de la Comandancia, de donde, acosado siempre, aunque protegido por la oscuridad, pasó a una dependencia de la Mayoría de Órdenes. De allí quiso salir de nuevo, ahora por aquel otro lado, y al abrir la puerta, una bala disparada desde el patio destrozó un vidrio, que le cortó la cara, y vino a tocarle en el hombro derecho y en la nuez. Ese momento lo aprovecharon los aspirantes para cogerlo, desarmarlo y llevarlo sujeto hasta el cuerpo de guardia, donde lo dejaron preso con centinela de vista, igual que antes habían dejado a Gustavo Madero en la sala de banderas.

Ya pasadas las seis, llegaron a la Plaza de Santiago, casi simultáneamente, la columna de los capitanes Montaño y Romero López, formada por los artilleros del Cuartel de la Libertad y las compañías de ametralladoras de San Cosme, y el escuadrón de caballería de la Escuela de Aspirantes, mandado por el capitán Antonio Escoto.

En el acto de llegar, los alzados emplazaron una pieza de artillería contra la puerta de la prisión y otra contra las habitaciones del coronel Mayol, director del establecimiento, que, como arriba queda dicho, no se contaba entre los conspiradores; y tras de eso, Montaño y Romero López se acercaron a requerir la rendición de la cárcel y la entrega del general Bernardo Reyes. Éste, que ya esperaba vestido —traje negro *sport*, botas militares, pequeño sombrero de fieltro gris, capote de general español—, no tardó en aparecer en la puerta, seguido de otros militares que también estaban presos, e inmediatamente fue llevado por sus libertadores al cuartel anexo a la prisión. Allí esperaba, ensillado ya, el caballo de don Bernardo, que el mayor Zozaya tenía de la brida, y allí estaban también, formadas y dispuestas a todo, la fuerza, perteneciente al 20º Batallón y mandada por el capitán De la Vega Rocca, que ese día había ido a cubrir los servicios de Santiago, y la del Primer Regimiento de Caballería, mandada por el capitán Martínez, que Lauro Villar había destacado horas antes para reforzar la vigilancia.

Iba a montar a caballo don Bernardo cuando

irrumpió en la plaza la columna que traía de Tacubaya el general Mondragón. En la creencia de
que el general Reyes aún se hallaba preso, Mondragón se acercó también a la puerta de la cárcel
y, como antes Romero López y Montaño, pidió que
el preso se le entregara y que el edificio se rin-
diera. Pero enterado entonces de lo que acababa
de suceder, cesó en su demanda y fue a reunirse
con el general Reyes, que, a caballo, venía ya a
su encuentro entre un grupo de militares y civiles.
Al verlo, prorrumpió en vítores la masa de los
alzados, y Mondragón, yendo hasta él e inclinán-
dose sobre la montura, le dio un abrazo.

Se habló del coronel Mayol, que había quedado
preso al consumarse la sublevación de la cárcel.
Mondragón quería fusilarlo; don Bernardo se opuso. En seguida se deliberó sobre el orden de marcha de la columna, cuyo mando dejaron a Reyes
los generales Mondragón y Ruiz. Al tratarse del
camino que habían de seguir hasta la Penitenciaría, donde Félix Díaz estaría ya impaciente al
ver que no llegaba nadie a ponerlo en libertad,
alguien señaló la conveniencia de que sólo una
parte de la columna fuera a libertarlo, mientras la
otra, con el general Reyes a la cabeza, marchaba
directamente al Palacio Nacional, ocupado a esas
horas por la infantería de la Escuela de Aspirantes; pero don Bernardo rechazó la idea, temeroso

de que algo pudiera "sucederle a Félix" —dijo—
si no iba a libertarlo personalmente él.

En aquel momento rodeaban a Bernardo Reyes,
a caballo, los generales Mondragón y Ruiz, el coronel Anaya, el teniente coronel Aguillón, los mayores Jenaro Trías y Jesús Zozaya, los capitanes
Montaño, Romero López, Martínez, Escoto, y Men-
doza, y los paisanos Rodolfo Reyes y Samuel Espinosa de los Monteros. A pie, estaban Cecilio
Ocón, José Bonales Sandoval, Alberto Díaz, Miguel O. de Mendizábal. En automóviles iban
Martín Gutiérrez, Rafael de Zayas Enríquez,
Víctor José Velázquez, Juan Pablo Soto y otros
muchos.

Ya para ponerse en marcha la columna, don Bernardo arrendó hacia la puerta de la prisión, llamó
al capitán que allí quedaba con los veinte hombres encargados de la custodia de la cárcel y rei-
teró la orden de separar de entre los presos aquellos que sólo sufrieran pena correccional, para que
una hora después se les diera libres y pudieran
sumarse a las tropas del movimiento.

Mientras las cosas marchaban así en Santiago
Tlaltelolco, el general Villar había logrado salir
de Teresitas con sesenta hombres del 24° Batallón,
que puso a las órdenes del mayor Castro Argüelles; se había adelantado a ellos tomando otro co-

che de alquiler, y había ido a preparar el asalto a Palacio, entrando allí por la puerta de Zapadores.

Al llegar al cuartel pidió al mayor Torrea que le informara minuciosamente de la situación en que se hallaban el edificio y su contorno. Le preguntó qué distribución había hecho del escuadrón de caballería. Y bien enterado de todo, y presentes ya los sesenta hombres de Castro Argüelles, procedió a poner en obra lo que intentaba.

Con unos pedazos de riel de que pudieron echar mano, un grupo de soldados forzó la puerta que comunicaba el patio del cuartel y el Palacio, hacia el fondo del jardín; por ella, sigilosamente, pasaron el mayor Castro Argüelles y los sesenta hombres del 24° Batallón, al frente de los cuales se puso, apoyado en el brazo de Torrea, el general Villar; y así dispuesta la pequeña columna, avanzó por el jardín hasta ganar la entrada trasera que da acceso al Patio de Honor. Tan pronto como todos aparecieron allí, el Comandante de la Plaza, arrastrando su pie enfermo, pero con ademán y voces de autoridad indiscutible, se adelantó hasta la doble guardia de aspirantes y soldados que custodiaban por aquella parte la entrada desde el Zócalo y les ordenó la entrega de las armas.

Sobrecogida la fuerza sublevada ante tamaño despliegue de autoridad, no hubo quien intentara la menor resistencia ni quien pensara en no ren-

dirse. Los oficiales se habían quedado indecisos
ante la pistola con que les apuntaba Villar. A todos
los dominó el temor de las sesenta bayonetas cala-
das que avanzaban sobre ellos con la misma incontrastable firmeza de la voz que las mandaba; y
de esa suerte, en unos cuantos segundos, sin herir
a nadie, sin disparar un solo tiro, la guardia de
la Puerta de Honor quedó inerme y substituida por
otra, y lo mismo aconteció inmediatamente después con los soldados y aspirantes de la Puerta
Central.

Aquí el general García Peña, que oyó desde su
encierro las voces del Comandante de la Plaza,
contribuyó no poco a que los grupos de alzados
se rindieran. Porque sacando del bolsillo la otra
pistola que traía, y que no le habían quitado, des-
armó en un segundo a los dos centinelas que estaban custodiándolo, y luego salió del cuerpo de
guardia y unió su voz a la de Villar en momento
y modo tan oportunos, que mientras el comandante
reducía al orden a los soldados, él hacía otro tanto
con los aspirantes.

Al despejarse el frente de la sala de banderas,
el general García Peña descubrió, con gran sorpresa, cómo estaba detenido allí Gustavo Madero, y
mayor todavía fue su asombro cuando el hermano del presidente le dijo que en ese sitio había
estado preso desde poco después de las cuatro de

la mañana. También en aquel momento bajaron al patio central el mayor del 24° Batallón y los treinta hombres que el Ministro de la Guerra había pedido a Morelos al separarse de éste en la azotea.

Se restableció el orden. La extraordinaria presencia de ánimo y el irresistible prestigio militar del Comandante de la Plaza habían convertido en cosa de milagro los frutos de la disciplina. Reunidos en el patio del centro los aspirantes, el general Villar los arengó; les reprendió su proceder, y más que el suyo, el de sus jefes; les citó como ejemplo la conducta de los humildes soldados que él había tenido que ir a sacar de los cuarteles para defender las instituciones, puestas en peligro por los más capaces de entenderlas y apreciarlas. En seguida los hizo desfilar, junto con los oficiales y soldados rebeldes, y luego dispuso que todos quedaran presos en las cocheras, a la vez que ordenaba que la tropa leal se distribuyera convenientemente, atenta a lo que pudiera ocurrir.

A poco de quedar sometida la guardia de la Puerta de Honor, el general Villar había ordenado al mayor Torrea que por el cuartel de Zapadores saliese con su escuadrón y desfilara frente a Palacio. Torrea formó a sus hombres en batalla, apoyada su izquierda en la Puerta Central y extendida su derecha hacia el norte, hasta la Puerta Mariana, con lo cual, mientras se tomaban otras providencias, el palacio quedó apercibido contra el ataque que seguramente vendría a hacerle la columna de Mondragón.

El señor Madero, despierto desde la madrugada en el Castillo de Chapultepec, no había dejado de considerar cuantos datos le llegaban acerca de la situación, y esperaba tranquilo la hora de salir a la calle para rehacer públicamente la autoridad de su gobierno. Tan cierto estaba de que aquella asonada era sólo obra de unos cuantos militares, y golpe en el que nada tenían que ver ni el pueblo ni la mayoría del ejército, que a primera hora mandó que se levantara y viniera a verlo el teniente coronel Víctor Hernández Covarrubias, director del Colegio Militar, a quien dijo, más o menos, estas palabras:

"Teniente coronel, la Escuela de Aspirantes, una parte de la guarnición, algunos civiles y otros grupos militares se han sublevado contra el gobierno. La situación, sin embargo, está dominada. Sírvase usted alistar al Colegio Militar para que me acompañe por las calles de México en columna de honor. ¿Oye usted los disparos que allá suenan? Pues son las tropas leales que terminan con la sublevación."

El director del Colegio dispuso que inmediatamente formaran las dos compañías de alumnos, a las cuales mencionó para que en cualquier momento pudieran entrar en combate, y mandó que se pusieran en un carro las municiones sobrantes, una ametralladora y dos fusiles Rexer.

Cerca de las seis y media llegaron a Chapultepec el Gobernador del Distrito y el Inspector General de Policía. De acuerdo los dos, habían tomado ya las medidas necesarias para que se reconcentraran al pie del castillo los dos batallones de Seguridad y los dos regimientos de la Gendarmería Montada, que estarían así en buen sitio para el caso de que los sublevados intentaran alguna sorpresa por aquella parte.

El presidente contó entonces a Emiliano López Figueroa que tenía pensado dirigirse a México sin más escolta que el Colegio Militar. El Inspector le respondió que le parecía bien, sobre todo si, como lo esperaba, iban reforzados los alumnos por las fuerzas de Seguridad, y si de ellas se tomaban las secciones necesarias para formar la descubierta. Pero dijo también que tenía noticias de que por lo menos un oficial del Colegio Militar había asistido un día antes a las juntas de conspiradores de Tacubaya. Entonces el presidente, aunque incrédulo, ordenó a López Figueroa ir a "semblantear" al teniente coronel Víctor Hernández Covarrubias, y minutos después, el Inspector, tras

de bajar a la terraza y cumplir lo que el señor
Madero le había ordenado, regresó a informarle,
en términos categóricos y absolutos, que el Colegio
Militar no mancharía nunca la limpia ejecutoria
heredada de su tradición.

Minutos después telefoneó a Chapultepec el Ministro de Comunicaciones, Manuel Bonilla, que
acababa de recibir aviso de estarse librando un
encuentro en las cercanías de la Escuela Industrial
de Huérfanos, y de que ya había sido libertado el
general Reyes, el cual encabezaba en persona la
sublevación. Pasadas las siete, llegó el Ministro
de la Guerra, todavía sangrante el rostro, y relató
al señor Madero las circunstancias en que acababa
de ser recobrado Palacio, adonde, a su juicio, el
Presidente de la República se debía trasladar, pues
allí estaba el asiento de su gobierno. A las siete
y media, o algo más tarde, llamó el director de la
Penitenciaría, don Octaviano Liceaga, que quería
hablar con el Gobernador del Distrito. Puesto González Garza al teléfono, Liceaga le dijo:

"Frente a esta prisión se halla en actitud amena-
zante, con toda su artillería, el general Mondragón, acompañado del general Reyes, y los dos me
exigen la inmediata libertad de Félix Díaz. No
tengo para defenderme más que veinte hombres.
Creo que la resistencia y cualquier sacrificio serían inútiles. Ordéneme usted lo que deba hacer."

Transmitió González Garza al presidente las palabras de Liceaga, y como en ese momento estaban dándose las últimas disposiciones para emprender la marcha hacia el centro de la ciudad, pareció útil entretener a los sublevados frente a la Penitenciaría, a fin de que no pudieran llegar al Zócalo antes que el señor Madero. Contestóse, pues, a Liceaga que procurara resistir cuanto le fuera dable, pero sin sacrificar a la guardia, y que retuviera allí a Mondragón y Reyes valiéndose de pretextos y subterfugios.

VIII

COMBATE EN EL ZÓCALO

La columna de sublevados que iba de Santiago hacia la Penitenciaría no había encontrado en su marcha ningún tropiezo. Al pasar por la antigua Escuela Correccional, el destacamento que allí estaba, aparentemente hostil en un principio, se le unió. Lo mismo hicieron, más allá, unos cuantos hombres salidos de Teresitas, y luego, entrando en la plaza de la Penitenciaría, treinta o cuarenta artilleros que, al mando de un capitán, habían abandonado los cuarteles de San Lázaro y esperaban desde horas antes ocultos detrás de unas tapias.

Ya al pie de la prisión, hubo temores de que tirotearan a la columna los centinelas apostados en la azotea del edificio, y aun se oyeron algunos disparos, o se creyó oírlos. Pero pronto se comprendió que aquello no podía ser, pues casi en el acto mismo de llegar los sublevados se abrió un balcón de la planta alta y apareció allí, inquiriendo de muy buen modo lo que sucedía, un hijo del director del establecimiento. Acercándose unos pasos, don Bernardo le dijo que quería hablar con el director, para exigir la inmediata entrega del general Félix Díaz y otros reos políticos que allí se guardaban, y añadió que era inútil toda resistencia, pues él y los generales Mondragón y Ruiz, que estaban a su lado, traían fuerzas de las tres armas en número bastante para hacerse obedecer.

Fue el hijo de Liceaga a llevar el mensaje que le confiaban y quedaron los alzados aguardando la respuesta. Pero como transcurrieron varios minutos sin que el director se presentara a parlamentar, don Bernardo y Mondragón, impacientes por el retraso con que todo venía haciéndose desde la madrugada, se acercaron a la puerta, desmontaron y entraron a formular en persona sus demandas.

Liceaga, que ya había hablado por teléfono con González Garza y tenía recibidas órdenes de Chapultepec, opuso reparos y dificultades: decía no poder comprometerse a nada sin previa consulta con sus superiores; pedía que se llenaran ciertos requisitos; quería que le extendieran un recibo en que se consignara que entregaba a los prisioneros bajo la acción de la fuerza, y así consiguió que pasara algún tiempo. Esto, sin embargo, no se prolongó mucho, porque al ir Reyes y Mondragón arreciando en su exigencia, Liceaga hubo de avenirse poco a poco, y, al fin, mandó a Félix Díaz aviso de que se alistase para salir a la calle. Una circunstancia favoreció a la postre, aunque brevemente, el propósito del director, y fue que Félix

Díaz, temeroso de alguna estratagema, pidió que Liceaga mismo fuera a comunicarle que se le dejaba libre, lo que dio pie a que se consumieran varios minutos más.

En previsión no ya sólo de que se negara la libertad de Félix Díaz, sino de que don Bernardo y Mondragón se quedaran dentro, Ruiz dispuso que el teniente coronel Aguillón emplazara cuatro cañones contra las puertas y ventanas del edificio y que el coronel Anaya distribuyera convenientemente las fuerzas montadas. Antes que eso se terminara, Félix Díaz salió al balcón, y desde allí recomendó calma a sus partidarios, les pidió que aguardaran, y les aseguró que a los pocos minutos quedaría libre y saldría a reunirse con todos. Se alteró entonces un tanto la disposición agresiva de la columna y se formó, desde la puerta de la prisión hasta el centro de la plaza, que era donde estaba la plana mayor de los sublevados, una valla de artilleros y aspirantes.

Por fin, tras mucho esperar, aparecieron de nuevo en la puerta los generales Reyes y Mondragón, ahora acompañados de Félix Díaz y otros dos presos, don Pablo Lavín y don Enrique Adame. Al verlos, los sublevados los acogieron con vivas, dianas y una que otra descarga que hacían al aire los más entusiastas. Inmediatamente después, mas no sin que don Bernardo advirtiera cómo no debían

gastarse en salvas las municiones, montó Félix
Díaz en el caballo que le traían dispuesto y se
tocó llamada de honor.

Reunidos a deliberar los principales jefes, opinó
don Bernardo que era urgente marchar sobre Palacio; y estaba considerando las providencias que,
a su juicio, debían dictarse, cuando se recibieron
informes contradictorios de lo que allá ocurría.
El doctor Enrique Gómez y el joven Alejandro
Reyes llegaron diciendo que había peligro de que
Palacio cayera otra vez en manos del gobierno,
pero que todavía se conservaba, con Gustavo Madero y el ministro de la Guerra presos. A la vez,
varios aspirantes traían la noticia de que Palacio
ya había sido recobrado por el general Villar.
Así, se decidió que el general Ruiz y el coronel
Anaya se adelantaran a explorar con el Primer
Regimiento de Caballería, y que, entre tanto, el
grueso de la columna se pusiera en condiciones
de emprender la marcha lo antes posible.

Ruiz y su gente se lanzaron al galope y vinieron
a desembocar en el Zócalo, por la esquina de la
calle de la Moneda, cuando ya el general Villar
estaba pronto al encuentro con los rebeldes. Apoyado en el brazo del general José Delgado, que
había venido a incorporársele, igual que los generales Felipe Mier y Eduardo Caus, el Comandante

Militar de la Plaza esperaba de pie al borde de la acera, delante de la puerta del centro, entre dos ametralladoras que había hecho instalar junto a cada uno de los garitones, y un poco al frente del grupo que formaban el mayor Malagamba, ayudante suyo, el intendente de Palacio, don Adolfo Bassó, y dos empleados del Departamento de Marina —Muñoz Jiménez y Carlos Romero— que acababan de presentarse ofreciéndole sus servicios, y que también quedaron como ayudantes en vista de que se negaban a separarse de él.

Serían las ocho de la mañana. La plaza, con mayor concurrencia que de costumbre, pues los curiosos acudían de todas partes y se sumaban a la gente —hombres, mujeres y niños— que llegaba a oír misa en la Catedral, no había podido despejarse sino a medias y sólo en el trecho comprendido entre la acera de Palacio y los jardines. Torrea y su escuadrón no estaban ya formados entre la Puerta Mariana y la Central, sino que habían ido a tenderse en orden de batalla al sur de la plaza, junto al edificio de "La Colmena". Desde allí, según las órdenes del general Villar, aquella tropa dominaba la calle de la Acequia, por donde también podían venir fuerzas sublevadas. Los sesenta hombres del 24º Batallón, a las órdenes del mayor Casto Argüelles, estaban alineados en dos filas, pecho y rodilla en tierra, entre la Puerta de Honor y la Central. Entre ésta y la Puerta Mariana se hallaban ahora, con una fila rodilla en tierra a lo largo de la pared, y otra pecho a tierra a cuatro o cinco metros de la acera, los sesenta soldados del 20º Batallón, al mando del coronel Morelos. Frente a la puerta del centro, además, hacía las veces de escolta del general Villar un piquete de quince hombres del 16º Regimiento, mandado por el teniente Ortiz.

La aparición del general Ruiz y sus hombres por la esquina de la Moneda aconteció en los momentos en que el escuadrón de Torrea, al otro extremo de la plaza, estaba desmontando y se disponía a encadenar la caballada en la calle contigua, para quedar mejor apercibido a la defensa. Los dragones permanecieron entonces al pie de sus caballos, mientras, frente por frente de ellos, desde el otro lado, la columna rebelde se empezó a mover entre la expectación curiosa de la multitud del jardín y la actitud decidida de las fuerzas defensoras. La figura de Ruiz —corpulento, sombrero negro de alas anchas, traje de caqui— se veía avanzar unos cuantos pasos adelante del coronel Anaya. Lo precedía una descubierta como de doce soldados; lo seguía, en columna de viaje por cuatro, la mayor parte del Primer Regimiento de Caballería, con algunos grupos de paisanos a pie. Serían en conjunto unos 200 ó 250 hombres que doblaron por la esquina y siguieron luego diagonalmente entre Palacio y el jardín hasta venir a quedar Ruiz y Anaya a la altura de la puerta del centro.

Sin soltar el brazo del general Delgado, Villar adelantó resueltamente dos o tres metros hacia Ruiz, y éste, al verlo, atravesó casi toda la calle, hasta llegar a él. Una vez allí, lo saludó y lo invitó formalmente a sumarse al movimiento. "Contamos —le dijo— con grandes elementos, con hombres, cañones y armas de todas clases; aparte las tropas que me acompañan, por sí solas más fuertes que las que defienden Palacio, otras de las tres armas vienen detrás de mí, con los generales Félix Díaz, Bernardo Reyes y Manuel Mondragón." Villar le contestó que no estaba en sus hábitos militares defeccionar, ni menos traicionar; que por ningún motivo sería desleal al gobierno del señor Madero, Presidente Constitucional de la República; que a los militares no les tocaba criticar a los poderes constituidos, ni menos entrometerse en la marcha de la política, y que, por lo tanto, su deber le mandaba sostener al gobierno y defenderlo aun a costa de la vida. Y acabando de dirigirle estas palabras, le cogió con violencia las riendas del caballo y le ordenó desmontar y darse preso.

Sin ánimo ni razones que oponer a la elocuente severidad del Comandante de la Plaza, Ruiz se

limitaba a no moverse del caballo. Pero entonces
Villar, que esperaba verse atacado de súbito por el
grueso del enemigo, le echó rudamente en cara su
conducta y a fuerza lo hizo apearse, con ayuda
de Argüelles y Malagamba, en los precisos momentos en que Ruiz, para defenderse, alargaba la mano
hasta una de las pistolas que traía en el arnés del
albardón. En seguida, cogiéndolo Villar por el
brazo derecho, lo condujo hasta el cubo de la puerta y allí lo entregó preso al general Caus, más diez
hombres que lo custodiaran.

Preso Ruiz, el Comandante de la Plaza intentó
hacer lo mismo con el coronel Anaya, que seguía
al otro lado de la calle y sin disponer nada en defensa de su jefe. Pero Anaya no se acercó, sino
que se mantuvo firme entre los 200 hombres que
traía, y no se movió de allí, indeciso entre avanzar, retroceder o esperar. Hubo, pues, que dejarlo
donde estaba, atenta la necesidad de no romper el
fuego mientras no se presentara dentro de la plaza
el cuerpo principal de los sublevados, que era lo
que Villar se proponía.

Y así concluyó la misión exploradora del general Ruiz.

Mientras tanto, el grueso de la columna rebelde,
que había tenido tiempo de avanzar desde la Penitenciaría hasta la calle de Santa Teresa y rebasar-

la, estaba ya con la vanguardia a un costado de Palacio, frente a la puerta de la Secretaría de Guerra.

Un jinete se acercó allí al general Reyes y le informó que Palacio había vuelto a quedar en poder del gobierno y que acababan de coger prisionero al general Ruiz. Sin escucharlo, o como si no lo oyese, don Bernardo siguió adelante, pues aquella ansia suya de dejar la prisión y salir a pelear parecía haberse convertido, ahora que se veía libre, en el solo impulso de su vida, en la concreción impaciente del ardor que lo dominaba desde esa madrugada. La necesidad de llegar, ver y vencer en forma que no dejara a nadie duda sobre su capacidad o sobre su valor, como que le ponía por delante una visión fascinadora. A su hijo Rodolfo, que le señaló la conveniencia de esperar, de no aventurarse sin recibir informes precisos de lo que estaba sucediendo, le contestó que la columna sí podía detenerse, él no: había que acabar, había que decidir de una vez, y a cualquier precio, lo que fuera. Alzándose, pues, sobre los estribos, gritó de modo que lo oyesen cuantos lo rodeaban: "¡Señores, el fuego va a comenzar: que se aparten los no combatientes!" Y fue sencillo su gesto y magnífica su voz.

Llegaron en eso hasta la vanguardia de la columna Mondragón y Félix Díaz, y enterados de lo que pasaba, también trataron de contener a don Bernardo. Él, sordo a todo, picó espuelas y partió al galope, seguido por un grupo de aspirantes, por varios jefes y oficiales —Trías, Zozaya, Armiño, Martín Gutiérrez— y por un grupo de civiles —Espinosa de los Monteros, Ocón, Bonales Sandoval, Pérez de León y otros muchos— todo en un haz de infantes y jinetes desordenado y compacto.

Viéndolo ir, Mondragón y Félix Díaz se acercaron a Rodolfo Reyes y le encarecieron la necesidad de que alcanzara a su padre y lo convenciera de su error. Tras él se lanzó Rodolfo, cuando ya él iba volviendo la esquina, y consiguió igualársele frente a la Puerta Mariana; pero no obstante que le suplicó, y le rogó, y puso mano en la brida del caballo, en nada varió don Bernardo su determinación. Más excitado que antes, contestó que no se detendría, que era Rodolfo quien debía detenerse y apartarse, él a cuyo cuidado estaba, cosa urgente, ir a conseguir la impresión del manifiesto que le había dictado el día antes; y volvió a espolear el caballo sin mirar atrás.

Cabalgó don Bernardo frente a la doble fila de soldados del 20º Batallón. Bien sentado en la montura, lo reconoció a lo lejos, por el modo de llevar los brazos, el general Villar. Lo envolvía, o poco menos, el grupo de gente montada y a pie que venía siguiéndolo desde la calle de la Moneda, más algunos otros paisanos y militares que a cada paso se le agregaban: aspirantes, artilleros, partidarios entusiastas, simples curiosos.

Metros antes de la puerta del centro vino a alcanzarlo el general Velázquez, y en vano intentó hacerlo retroceder. Descubrió entonces don Bernardo que Villar lo esperaba al borde de la acera y que salía luego hasta media calle a marcarle el alto. Frente a frente los dos, le dijo, sin dejar de cabalgar: "¡Ríndase usted!", a lo que Villar, recogiéndose otra vez hacia la puerta, le contestó: "¡El que se ha de rendir es usted!" Y sucedió en ese momento, desconcertado el grupo de los rebeldes por la respuesta del defensor de Palacio, que algunos de ellos levantaron las armas, y que don Bernardo intentó con la mano contener al oficial o aspirante que tenía más cerca, mientras con el cuerpo hacía al Comandante de la Plaza ademán de que esperase; pero como al mismo tiempo continuara avanzando hasta echar el caballo casi encima de una de las ametralladoras, se vio que trataba de envolver con su gente al general Villar. Rodolfo, que estaba detrás, le gritó entonces: "¡Te matan!", y él respondió: "¡Pero no por la espalda!"; y como si aquello hubiese sido la orden de fuego, uno de los hombres que lo seguían disparó sobre los soldados del 20º Batallón, que contesta-

ron; y en un instante prendió la lucha desde uno
hasta otro extremos de las fuerzas contendientes.
Con los soldados del 20º dispararon los del 24º,
y la escolta del 16º, y el escuadrón de Torrea, y
una de las ametralladoras, manejada por Bassó;
y de la otra parte hicieron fuego el grupo de rebeldes, paisanos y militares, que venían con don
Bernardo, los 200 hombres de Anaya y las fracciones de fuerza sublevada —entonces se descubrió
que las había— parapetadas en lo alto de "La Colmena" y en las torres de la catedral.

Los soldados del 20º y del 24º, reclutas los más,
cedieron al principio y se movieron sobre la puerta
del centro, donde personalmente peleaba Villar;
pero rehechos en seguida bajo la acción alentadora
o enérgica con que él los volvió a sus líneas, se
sobrepusieron pronto a los rebeldes. Rechazados
éstos, retrocedieron hacia la calle del Seminario,
se abrigaron en los portales y acabaron por dis-
persarse, yendo unos a buscar refugio entre el
grueso de la columna, que seguía en la Moneda
bajo las órdenes de Félix Díaz y Mondragón, y
alejándose otros por Plateros, por el 16 de Septiembre, por el 5 de Mayo.

El combate no duró arriba de veinte minutos.
Alcanzado don Bernardo por varios tiros, uno de
pistola en la cabeza y otros de ametralladora, en
las piernas, cayó casi el primero. Se le vio asirse

a la crin del caballo y resbalar por el lado izquierdo sobre su hijo Rodolfo, que, aunque ileso, también cayó a tierra. A su derecha estaba herido Espinosa de los Monteros, y junto a él los aspirantes Talau y De la Peña y el licenciado Pérez de León. Resultaron también heridos el general Velázquez, el teniente Armiño y muchos otros. Entre los defensores, igualmente a los primeros disparos, salió herido el general Villar: una bala le tocó el cuello y le rompió la clavícula derecha. A su lado murió el coronel Morelos; más allá, el teniente Anaya. Estaba herido el mayor Malagamba, y la misma suerte habían corrido otros muchos oficiales. Entre heridos y muertos, la fuerza del 20º y el 24º sufrió 28 bajas, y el escuadrón de Torrea, 15. De los rebeldes, yacían por tierra, militares unos, paisanos otros, no menos de 200 hombres, y fuera de los combatientes el número de las víctimas se acercaba a mil.

IX

EL COLEGIO MILITAR

Una fracción de la caballería de Anaya, que durante el encuentro había ido a parapetarse entre las pilastras del Portal de las Flores, aprovechó la confusión para dejar las filas de los sublevados y vino a unirse, al mando del capitán Jesús V. García, al escuadrón de Torrea. Aumentó esto en 50 ó 60 hombres el efectivo de los leales situados en la acera de "La Colmena", pero dio lugar, cuando ya todos los rebeldes huían dispersos, a que los defensores de la acera de Palacio, sin comprender bien lo que ocurría, dirigieran parte de sus proyectiles tan cerca de "La Colmena", que Torrea empezó a padecer por eso nuevas bajas. Aquello hubiera asumido graves proporciones a no ser porque el jefe del escuadrón, de una parte, y Villar de la otra, mandaron tocar alto el fuego.

Sin enemigo al frente, ni tropas bastantes para perseguir a los que huían, Villar comprendió que acaso vinieran sobre él en nuevo ataque, y ya no tan desapercibidas como las otras, las fuerzas que Félix Díaz y Mondragón conservaban en la calle de la Moneda. Mandó, pues, levantar los cadáveres del general Reyes y del coronel Morelos, recogió sus soldados al interior del edificio, mandó cerrar las puertas y se dispuso a defenderse desde la azotea. Su plan de aniquilar a los sublevados dejándolos venir hasta Palacio se había realizado en parte, y de hecho lo dejaba victorioso; pero ahora le impedían seguir adelante las consecuencias de la impaciente temeridad —circunstancia imprevista— con que don Bernardo se había abalanzado a pelear casi solo.

El general Ruiz, los oficiales y soldados que habían defeccionado mientras montaban guardia, y los aspirantes y sus instructores, merecían recibir inmediatamente el peor de los castigos; pero recordando Villar el artículo 1338 de la Ordenanza, no sólo no dictó la terrible pena que debía aplicárseles, sino que proveyó lo necesario para que quedaran bien seguros bajo la vigilancia de los generales Caus y Mier, punto a que atendió mientras sus soldados desfilaban hacia la azotea.

Al subir él, acompañado del contraalmirante Ángel Ortiz Monasterio, del general Pedro González y de los brigadieres Francisco de P. Méndez, José González Moreno y José Delgado, todos los cuales se le habían presentado en la acera ofreciéndole sus servicios, se le acercó un ayudante del general Villarreal, quien enviaba a decir que había tomado el mando de la Ciudadela y esperaba órdenes. Villar contestó que el general Villarreal debía, y que tal era la orden, sostenerse allá, y defender el punto, hasta morir, con los refuerzos que ya se le mandaban.

Mientras Villar iba así, subiendo las escaleras y dando órdenes, los médicos Samuel Silva y Abel Ortega, que lo seguían, redoblaban sus instancias para que se detuviera un momento y se dejara curar, pero él los apartaba con la mano y de cuando en cuando se interrumpía para repetirles que primero estaban las exigencias del servicio. En la azotea mandó repartir a sus soldados municiones de las quitadas a los aspirantes. Formó una cadena de tiradores, con el centro sobre la plaza y los extremos hacia el norte y el sur, al mando del teniente coronel Félix C. Manjarrez y del mayor Casto Argüelles. Ordenó a su ayudante el mayor Malagamba, herido cuatro veces, que se retirara al Hospital Militar. En eso, alguien vino a decirle que los sublevados habían conseguido tomarle la posición a retaguardia, por el cuartel de Zapadores; y a punto estaba de dictar medidas con que enfrentarse a este otro peligro, cuando un capitán, Francisco Jáuregui, le trajo el informe de que el mayor Torrea y su tropa se habían reconcentrado de nuevo en aquel cuartel, donde quedaban en situación de defenderse y en espera de lo que se les ordenase.

Dispuso entonces Villar que pasara a tomar el mando de Zapadores el general Agustín Sanginés (que también se le había presentado), y a poco llegó Torrea a rendirle parte personalmente. Le habló del buen comportamiento de los capitanes Ángel Morales y Pablo Zayas Jarero, de los tenientes Manuel Leyva Santillán y Manuel Carrera, de los subtenientes Mario Domínguez, Agustín González Castrejón, Leobardo Anaya y Eduardo Kraus y del sargento Vicente Sotomayor. Casi sin aliento por la pérdida de sangre y la fatiga, Villar se hallaba sentado en un pretil. Felicitó a Torrea por la conducta que había observado desde la madrugada, y por la de toda su gente, y le mandó estar pronto para salir al desempeño de otro servicio, pues se proponía organizar una columna que marchara a la Ciudadela en auxilio de Villarreal. Mientras tanto, los médicos seguían en su empeño de curarle las heridas, pero él, lejos de consentirlo, sólo atendía a los oficiales que le traían informes sobre los movimientos de las tropas sublevadas.

En Chapultepec, el señor Madero, ya a caballo, y poco antes de la hora en que aparecería frente a Palacio el general Gregorio Ruiz, había arengado

a los alumnos del Colegio Militar, que lo oyeron
armados y municionados para servirle de escolta
hasta la ciudad de México. "Ha ocurrido —les
dijo— una sublevación, y en ella la Escuela de
Aspirantes, arrastrada por oficiales indignos de su
uniforme, ha echado por tierra el honor de la juventud del ejército. Este error sólo puede enmen-
darlo otra parte de la juventud militar, y por eso
vengo a ponerme en manos de este colegio, cuyo
apego a la disciplina y al deber no se ha desmen-
tido nunca. Os invito a que me acompañéis en
columna de honor hasta las puertas de Palacio,
asaltado esta madrugada por los aspirantes y sus
oficiales y vuelto otra vez a poder del gobierno gracias a la energía del Comandante Militar de la Plaza, que ha sabido reducir al orden a los revoltosos."

Breve, elocuente por su dignidad y su emoción
contenida, la arenga del señor Madero hizo de las
dos compañías de alumnos que lo escuchaban un
cuerpo unánime. El director, Víctor Hernández
Covarrubias, contestó con palabras de encomio para el colegio, cuya sola fama lo definía, y de agra-
decimiento para el jefe del Estado, que, compren-
diéndolo así, no dudaba de que los cadetes lo
escudarían con su lealtad. En seguida, dirigiéndose
a éstos, y alzando más la voz, resumió en un vítor
lo expresado por el señor Madero y lo que él acababa de contestar:

—¡Viva el Presidente de la República!

Lacónicos y solemnes, como con una sola voz, los alumnos respondieron:

—¡Viva!

E inmediatamente se ordenó la marcha.

No en columna de honor, según el presidente lo esperaba, sino por el flanco doblando —dos filas a la derecha, dos a la izquierda y el presidente en medio—, el Colegio Militar bajó del castillo y tomó el camino de la Reforma. Llevaba como vanguardia las secciones de Seguridad que se habían reconcentrado en el bosque, al pie del cerro, y un escuadrón de la Gendarmería Montada, al mando del mayor Ernesto Ortiz. Además del director del colegio, con el presidente iba a caballo el Ministro de Comunicaciones, Manuel Bonilla. Lo seguían, unos a pie, otros en automóvil, García Peña, Pino Suárez, López Figueroa, Federico González Garza y los ayudantes que sucesivamente habían venido presentándose: Garmendia, Montes, Casarín, Margáin, Vázquez Schiaffino.

Dos veces, ya iniciada la marcha, preguntó el señor Madero a Hernández Covarrubias si no era posible que el colegio formara en columna de honor, pues eso era más adecuado al fin que él se proponía; pero Hernández Covarrubias le contestó pidiéndole permiso para que el colegio siguiera como iba, por ser la formación en fila, a ambos lados del paseo, la que recomendaban las circunstancias. Respetuoso del deber de los otros, el presidente no insistió y aun consideró útil a su propósito la disposición que llevaban, porque al desfilar los cadetes al borde de una y otra aceras empezaban a oír aplausos y aclamaciones de la gente del pueblo que acudía a unírseles.

Era como si se hubiese corrido la voz: de todas partes surgían amigos, partidarios entusiastas, funcionarios del gobierno. Hacia el Café Colón se incorporaron Rafael Hernández y Ernesto Madero. Un poco más allá bajó de un coche de alquiler y se unió a la columna —ocultos los ojos por sus gafas oscuras y casi todo el cuerpo por su abrigo negro— el general Victoriano Huerta. En la plaza de la Reforma se incorporó a las fuerzas, armado y municionado como tropa de infantería, el Cuerpo de Bomberos; más allá, otras secciones de la Gendarmería Montada y de los batallones de Seguridad. Y así fueron creciendo, en el trayecto de la Avenida Juárez, el volumen de la columna y el calor con que la envolvía el entusiasmo público. A la altura de la Alameda, eran ya numerosos los grupos de maderistas militantes y de simples ciudadanos que pedían armas. Una muchedumbre de afiliados al Partido Constitucional Progresista, con bandera desplegada y Mariano Duque a la cabeza, se agolpaba detrás del señor Madero y excitaba al pueblo a armarse y defenderse.

Se tenía decidido seguir hacia Palacio por la Avenida del Cinco de Mayo; pero al rebasar la vanguardia de la columna las obras del Teatro Nacional se oyó de pronto, hacia el centro, nutrido fuego de fusilería (era el combate con los alzados del general Bernardo Reyes), por lo que se mandó hacer alto. A poco se vieron cruzar por San Juan de Letrán, hacia la calle de la Independencia, ca- ballos sin jinetes y, minutos después, soldados de caballería que pasaban huyendo. Como todo eso produjo en la columna cierta confusión, se hizo ver al señor Madero que no debía seguir adelante mientras no se explorara el camino hasta Pala- cio y hubiera seguridad de dominar las calles pró- ximas.

Desmontó el presidente en espera de que se llevara a cabo lo que los militares aconsejaban, y él y las personas que lo seguían de cerca se reple- garon, entre la esquina del Cinco de Mayo y la de San Francisco, sobre la acera oriente de la calle que por ese lado limita al teatro. Allí se discutió, entre mucho desorden, si el señor Madero debía continuar hasta Palacio o regresar a Chapultepec. El Ministro de la Guerra y don Manuel Bonilla opinaban que había que seguir. El general Huerta aconsejaba volver, porque al Presidente de la República no incumbía en ningún caso exponerse de aquel modo.

Estando ellos en su deliberación, un tiro, hecho al parecer desde los balcones de "La Mutua", derribó al gendarme que se hallaba, casi al lado del presidente, entre el general García Peña y don Manuel Bonilla. (Eran, probablemente, disparos de un grupo de rebeldes, fugitivos del Zócalo, que el capitán José Tapia había logrado medio organizar en el Cinco de Mayo, y que de allí tomó por el Correo hacia la calle de Mina). Se advirtió también que una fracción de la Gendarmería Montada se separaba de la columna y partía al galope por San Juan de Letrán, a la vez que por allá seguían pasando en franca huida jinetes y caballos sueltos. Se despachó entonces a Garmendia —que vestía de paisano— a traer noticias exactas de la situación de Palacio, y alguien aconsejó que mientras la información llegaba, el presidente debía abrigarse en el Teatro Nacional o en alguno de los edificios inmediatos. Consintiendo en ello, mandó él pedir permiso de que lo dejaran entrar en la casa ocupada por la Fotografía Daguerre.

Aquello, sin embargo, no bastaba. Urgía tomar alguna determinación eficaz. El Ministro de la Guerra nada acertaba a disponer. Huerta seguía insistiendo en que se hiciera esto y lo otro, que el

Ministro no aprobaba. Por fin, seguro Huerta de que allí tenía que imponerse el hombre de mayor audacia, dijo al señor Madero:

—¿Me permite usted, señor presidente, que me haga cargo de todas estas fuerzas, para disponer lo necesario en defensa de usted y de su gobierno?

El Ministro de la Guerra, tal vez por demasiado acatamiento a la autoridad del presidente, a quien Huerta, con olvido de la disciplina y de las jerarquías, formulaba la pregunta, no hizo la menor observación, y como tampoco dijeron nada los otros ministros allí presentes, el señor Madero asintió, a impulsos quizá de su inclinación a buscar siempre el buen móvil en todos los actos de los hombres.

Dentro de la Fotografía Daguerre, Huerta volvió a insistir en que el presidente regresara a Chapultepec, y los ministros y Gustavo Madero (que se acababa de presentar) en que debía seguirse la marcha hasta Palacio. Se ordenó entonces la división del Colegio Militar en tres fracciones: una, al mando del mayor Tomás Marín, que avanzaría por el Cinco de Mayo; otra, a las órdenes del capitán Federico Dávalos, que seguiría por San Francisco, la Profesa y Plateros, y la otra, al mando directo del teniente coronel Víctor Hernández Covarrubias, que iría por el 16 de Septiembre, reforzadas todas por secciones de las fuerzas de Seguridad, y la de San Francisco, también por el Cuerpo de Bomberos. Para guardar al presidente mientras se franqueaba el camino, quedarían con él, además de sus ayudantes y el Inspector General de Policía, un sargento y diez alumnos del Colegio Militar, y quince gendarmes de la Montada.

La multitud, congregada frente a la Fotografía Daguerre, vitoreaba al señor Madero. Don Manuel Bonilla salió al balcón y la arengó, diciendo que en el momento mismo iba a proseguirse la marcha, y que el presidente invitaba a todos a que lo escoltasen, para que luego se esparciera la noticia de su entrada en Palacio y del triunfo de la legalidad. Como los vítores y las aclamaciones seguían, Madero tuvo que asomarse personalmente al balcón para dar las gracias, y con él se mostraron García Peña, Huerta y otros de sus acompañantes. Desde abajo, en nombre del pueblo, Mariano Duque contestó, pidiendo armas para defender las libertades públicas, atropelladas por los sediciosos, y le tendió a don Manuel Bonilla, para que se la entregase al señor Madero, la bandera que llevaba.

Regresó en eso Gustavo Garmendia con la noticia de que Palacio estaba en poder del general Villar, éste herido, Gregorio Ruiz preso, el coronel Morelos y el general Reyes muertos, y en fuga hacia el Reloj y Donceles las tropas sublevadas que mandaban Félix Díaz y Manuel Mondragón. Al saber aquello el presidente, se retiró del balcón para disponerse a salir, y mientras bajaba a la calle, siguió Mariano Duque en su discurso, ahora de incitaciones al pueblo, a quien aconsejaba ir a quemar los periódicos responsables del envenenamiento de la opinión pública: *El Imparcial, El País, La Tribuna, Gil Blas, El Heraldo Mexicano, Multicolor.* ¿Fue también en aquellos instantes cuando Gustavo Madero aconsejó a su hermano nombrar Comandante Militar de la Plaza, supuesto que Villar estaba herido, a Victoriano Huerta? Bien por lo que Gustavo le sugería, bien por otra causa, el presidente hizo que se acercara el Ministro de la Guerra y le dijo:

—A ver qué comisión le da usted al general Huerta.

A lo que el ministro contestó:

—Que tome el mando de la columna.

Las tres fracciones del Colegio Militar habían avanzado paralelamente hasta la Plaza de la Constitución sin otro contratiempo que unos disparos que cayeron, a retaguardia de la fracción del centro, a su paso por la Profesa.

Ya en el Zócalo todo el Colegio Militar, Hernández Covarrubias recibió informes sobre la verdadera situación de Palacio. Entró entonces en el edificio, subió a la azotea y se presentó al general Villar.

—A sus órdenes, mi general —dijo saludándolo— y conmigo viene, completo, el Colegio Militar de Chapultepec, leal al Presidente de la República.

Emocionado, Villar quiso volverlo a oír:

—¿El Colegio de Chapultepec?

Y al escuchar de nuevo las palabras del director del colegio, dos gruesas lágrimas se le desprendieron de los ojos y le acentuaron lo encendido de la cara. En seguida, conteniendo su emoción, preguntó por el señor Madero, de quien supo que ya venía por la Avenida Juárez. Entonces dispuso que se entregara a Hernández Covarrubias una ametralladora, para que la agregase a sus fuerzas, y le ordenó:

—Despeje usted la plaza, establezca una guardia en la puerta principal y espere allí al Presidente de la República, para que sea el Colegio Militar de Chapultepec quien le haga los honores.

INDICE

ESTA EDICION, QUE CONSTA DE 2,000
EJEMPLARES, SE TERMINO DE IMPRI-
MIR EL DIA 18 D'E NOVIEMBRE DE 1963,
EN LAS PRENSAS DE LA EDITORIAL
STYLO, DURANGO 290, MEXICO, D. F.